GERMANISTISCHE ABHANDLUNGEN

———

JAHN · KAFKAS ROMAN »DER VERSCHOLLENE« (»AMERIKA«)

»VIEW OF THE FERRY AT BROOKLYN, NEW YORK«

(s. S. 1 Anm. 1)

WOLFGANG JAHN

KAFKAS ROMAN
»DER VERSCHOLLENE«
(»AMERIKA«)

J. B. METZLERSCHE
VERLAGSBUCHHANDLUNG
STUTTGART

©

J.B. Metzlersche Verlagsbuchhandlung und Carl Ernst Poeschel Verlag GmbH
in Stuttgart 1965. Satz und Druck Georg Appl, Wemding
Printed in Germany

VORWORT

Kafkas fragmentarischer Roman »Der Verschollene« – oder »Amerika«, wie ihn sein Herausgeber Max Brod genannt hat, – stand bisher fast am Rande literaturwissenschaftlichen Interesses. Die relativ früh entstandene, anscheinend naiv erzählte und abenteuerliche Geschichte des jungen Auswanderers, der nach einer Reihe bestandener Fährnisse Glück, Heimat und Eltern wiederfinden soll, wollte sich in den Rahmen eines einheitlichen Kafka-Bildes, wie es durch die dunkler getönten Erzählungen, vor allem »Das Urteil«, und die späteren Romane bestimmt wird, nicht widerspruchsfrei einordnen lassen. Gelegentlich sogar kritisiert, gilt daher »Der Verschollene« noch heute und in allerjüngsten Publikationen als Außenseiter, wenn nicht als „Antithese" zum übrigen Werk des Dichters. Kafka teilte diese Meinung nicht. Mehrfach forderte er von seinem Verleger, das Anfangskapitel (»Der Heizer«) gemeinsam mit dem »Urteil« und der »Verwandlung« unter dem Titel »Die Söhne« als Trilogie zu veröffentlichen, da er diese seine drei „Geschichten" als organische Einheit betrachte und sich der *offenbaren* und *geheimen Verbindung* zwischen ihnen bewußt sei. Daß sich diese, bisher so gut wie unbeachtete Verbindung auch auf die folgenden Romankapitel erstreckt, liegt nahe. Sie zu definieren und ihren Auswirkungen auf die Gesamtkonzeption des Romans nachzuspüren, wäre erste und wesentliche Aufgabe jeder Interpretation.

Bedingung für eine nicht nur spekulative Behandlung solcher Fragen bleibt jedoch die eingehende phänomenologische Textanalyse, wie sie hier in systematischer Form wohl zum erstenmal vorliegt. Sie umfaßt die Bereiche der Handlungs- und Bildkomposition (Teil I und II), sichtet den Bestand der erzählerischen Ausdrucksformen (Teil III) und nutzt die so gewonnenen Erkenntnisse für eine zusammenfassende Erläuterung des letzten Kapitels (»Das Naturtheater von Oklahoma«), das in der bisherigen Kafka-Literatur die widersprüchlichsten Deutungen erfahren mußte (Teil

V

IV). Erst nach der Analyse wird die Frage nach Kafkas dichterischem Weltbild neu gestellt (Teil V). Den Zugang eröffnet die Gestalt des 16jährigen Karl Roßmann selbst, in die sich der Dichter für die Dauer des Erzählens gleichsam verwandelt. Die besondere Erlebnisweise dieses Helden, das eigenartig Symbolische der aus ihr hervorgehenden kindlich-moralischen Weltperspektive wird an zahlreichen Textbeispielen demonstriert. Von hier aus kann nun das schon in Teil I erkannte, auch in den »Söhnen« enthaltene mythische Urmodell der Handlung — im Zusammenhang mit Selbstzeugnissen des Dichters — als das zentrale Gleichnis einer komplexen, zugleich persönlichen und transzendenten Schulderfahrung beschrieben werden. Der abschließende Gedanke, daß derselbe Mythos die „geheime Verbindung" auch zu den späteren Romanen »Der Prozeß« und »Das Schloß« herstellt, dient, wenngleich nur als These, zur Vertiefung des Resultats.

Noch immer fehlte es bisher an einer elementaren Voraussetzung zu ernster philologischer Arbeit, einer kritischen, mit Lesarten und Materialien versehenen Ausgabe der Werke Kafkas. Diesen Mangel durch Prüfung der Originalen Handschrift auszugleichen, war lange Zeit unmöglich. Erst 1962 gelangte der überwiegende Teil aller Kafka-Manuskripte zur Aufbewahrung in die Bodleian Library nach Oxford. Unter ihnen befindet sich, mit Ausnahme von 15 offenbar verlorenen Blättern, Kafkas Handschrift zum »Verschollenen«, deren Kenntnis für die Interpretation hier erstmalig genutzt wurde. — Es sei noch auf die Bemühung hingewiesen, bisher unbekanntes, für den »Verschollenen« aber wesentliches Quellenmaterial heranzuziehen, so besonders die große Amerika-Reportage Arthur Holitschers (1911/12), die durch Wort und Bild zur Entstehung mancher charakteristischer Szene des Romans beigetragen hat.

Dieses Buch ist die zweite Fassung einer unter dem Patronat Friedrich Beißners entstandenen und 1961 von der Universität Tübingen angenommenen Dissertation. Erweiterungen, wie sie mir seitdem notwendig erschienen, betreffen vor allem den Abschnitt »Weltbild« (Teil IV) und den Exkurs »Kafka und ‚Die Söhne'« (13), der neu hinzugekommen ist. Umstellungen in Teil IV ergaben sich aus der nachträglichen Prüfung des Manuskripts.

In mehr als einem Sinn war das Vorbild Friedrich Beißners für meine Arbeit bestimmend. Die wohlwollende Förderung, die er dieser Buchausgabe zuteil werden ließ, hält mich ihm für immer dankbar verbunden. – Besonderen Dank schulde ich Frau Marianne Steiner in London; sie ermöglichte mir in freundlicher und großzügiger Weise den so notwendigen Zugang zur Handschrift. Nicht zuletzt danke ich Prof. Malcolm Pasley, Oxford, für Rat und mancherlei Hilfe.

Für Zitate aus Kafkas Werk gelten – falls nicht anders vermerkt – die im Literaturverzeichnis (S. 153) genannten Siglen nebst Seitenangabe.

INHALT

VIII

TEIL I

HANDLUNGSAUFBAU

1. »DER HEIZER«

Um die Mitte des Jahres 1913 erschien im Kurt Wolff Verlag zu Leipzig Kafkas Erzählung »Der Heizer«. Sie bildet das erste Kapitel des nie vollendeten Romans »Der Verschollene« und trägt daher den vom Dichter selbst bestimmten Untertitel »Ein Fragment«[1].

Das erste Kapitel des Romans werde ich auch tatsächlich gleich schicken hatte Kafka am 4. 4. 1913 an seinen Verleger geschrieben, *ob es selbständig*

---

[1] vgl. den Brief an Wolff vom 24. 4. 1913 (Br. 117). – »Der Verschollene« – so hat Kafka seinen Roman selbst genannt, wie aus einer Tagebuchnotiz vom 31. 12. 1914 hervorgeht (T 453). Der Titel »Amerika« stammt von Max Brod. – Die erste Ausgabe des »Heizers« (1913) trägt als Frontispiz die auch hier vorangestellte Abbildung. In einem Brief an Wolff vom 25. 5. 1913 äußerte sich Kafka dazu wie folgt: *Als ich das Bild in meinem Buche sah, bin ich zuerst erschrocken, denn erstens widerlegte es mich, der ich doch das allermodernste New York dargestellt hatte, zweitens war es gegenüber der Geschichte im Vorteil, da es vor ihr wirkte und als Bild konzentrierter als Prosa und drittens war es zu schön; wäre es nicht ein altes Bild, könnte es fast von Kubin sein. Jetzt aber habe ich mich schon längst damit abgefunden und bin sogar sehr froh, daß Sie mich damit überrascht haben, denn hätten Sie mich gefragt, hätte ich mich nicht dazu entschließen können und wäre um das schöne Bild gekommen. Ich fühle mein Buch durchaus um das Bild bereichert und schon wird Kraft und Schwäche zwischen Bild und Buch ausgetauscht. Von wo stammt übrigens das Bild?* (Br 117 f.) Es handelt sich um einen mir wohlbekannten Stahlstich aus: »American Scenery« by N. P. Willis, Esqu., illustrated in a series of views by W. H. Bartlett, London o. J. (1838), S. 90. Der Bildtitel lautet dort »View of the Ferry at Brooklyn, New York«.
– Kafka hat die Ende September 1912 (mit dem »Heizer«) begonnene Niederschrift seines Romans zunächst bis weit in das sog. I. Fragment hinein fortgeführt, dann aber (nach: ... *dulde ich das nicht*; A 347) gegen Ende November 1912 abgebrochen. Erst Anfang Oktober kam das letzte Kapitel zu Papier und damit, wie der Schriftduktus vermuten läßt, auch der Rest des sog. I. Fragments, sowie die »Ausreise Bruneldas« (vgl. Pasley/Wagenbach, Versuch einer Datierung, und Jahn, Kafkas Handschrift).

1

*veröffentlicht werden kann, weiß ich nicht; man sieht ihm zwar die 500
nächsten und vollständig mißlungenen Seiten nicht gerade an, immerhin
ist es wohl doch nicht genug abgeschlossen; es ist ein Fragment und wird es
bleiben, diese Zukunft gibt dem Kapitel die meiste Abgeschlossenheit* (Br
115). – Trotz solcher Vorbehalte sah Kafka im »Heizer« mehr als nur das
Bruchstück eines unfertigen Romans. Er hatte schon von Anfang an den
Wunsch, den »Heizer« zusammen mit den zwei anderen im selben Jahre
entstandenen Erzählungen »Das Urteil« und »Die Verwandlung« unter dem
gemeinsamen Titel »Die Söhne« als Trilogie zu veröffentlichen. Ein Brief
an Kurt Wolff vom 11. 4. 1913, in dem Kafka diesen später nicht erfüllten
Wunsch äußert, schließt mit den Worten: *Mir liegt eben an der Einheit
der drei Geschichten nicht weniger als an der Einheit einer von ihnen* (Br
116). Damit hat Kafka die dichterische Einheit und Selbständigkeit seines
„Fragments" ausdrücklich bezeugt.

2. AUFBAU DER ERZÄHLUNG

Im »Heizer« berichtet Kafka Karl Roßmanns Geschichte von seiner Verführung an bis zur Adoption durch den Onkel. Hiervon erfaßt die eigentliche Erzählung nur die letzte Phase, sie zeigt die durch Karls Bekannt-
werden mit dem Schiffsheizer verzögerte Begegnung zwischen Onkel und
Neffen, einen Vorgang also, der kaum länger als zwei Stunden dauern
dürfte. Die Voraussetzungen des Geschehens (Verführung, Entdeckung der
Folgen, Machtspruch des Vaters, Einschiffung Karls) sowie die der Gegenhandlung (Verständigung des Onkels durch das Dienstmädchen, Maßnahmen zur Auffindung Karls auf dem Schiff) bleiben dem Leser zunächst weithin verborgen, werden aber gegen Schluß durch Dialog und „Rückblende"
schrittweise enthüllt. Kafka bedient sich hier des analytischen Verfahrens,
wie es aus der Formtradition des Dramas und der Novelle bekannt ist. Vor
den für Karls Schicksal maßgeblichen Hintergrund schiebt sich kontrapunk-
tisch die den Vordergrund beherrschende Titelepisode, Karls seltsame Begegnung mit dem Heizer, als ein Zwischenspiel, das für Karl Roßmanns
weiteres Geschick zwar ohne Folgen, zu seiner Charakterisierung jedoch
unentbehrlich ist. Beide Komplexe der Erzählung, Vorder- und Hintergrund, sind kausal eng miteinander verflochten: die Erkennungsszene zwischen Karl und dem Onkel bedeutet einen für den Heizer negativen, für
Karl aber positiven Glückswechsel und Wendepunkt. Die Konzentration der

Handlung gestattet relative Sparsamkeit der szenischen Mittel: die Aktion bleibt räumlich auf das Innere des Schiffs, zeitlich auf die geringe Spanne von etwa zwei Stunden beschränkt. Die hier erreichte dramatische Dichte des Erzählens wird in den folgenden Partien des Romans zwar prinzipiell beibehalten, ist aber für Kafkas übriges Werk ohne Beispiel.

3. Einengung der Perspektive

Bei aller Feinheit und Kunst der Form, wie er sie im »Heizer« anwandte, bleibt Kafka scheinbar anspruchslos und zurückhaltend. Weder hier noch im »Verschollenen« überhaupt verläßt er den Rahmen einer sehr einfachen, beinahe naiv erzählten *Geschichte*. Eine wesentliche Voraussetzung hierfür bildet Kafkas ganz besondere epische Methode: „Kafka erzählt, was anscheinend bisher nicht bemerkt worden ist, stets einsinnig, nicht nur in der Ich-Form, sondern auch in der dritten Person. Alles, was in dem Roman ›Der Verschollene‹ ... erzählt wird, ist von Karl Roßmann gesehen und empfunden; nichts wird ohne ihn oder gegen ihn, nichts in seiner Abwesenheit erzählt, nur seine Gedanken, ganz ausschließlich Karls Gedanken und keines andern, weiß der Erzähler mitzuteilen[2].“

Kafkas Prinzip, den Erzählraum durch Beibehaltung einer subjektiven Erlebnisperspektive einzuengen, führt im »Verschollenen« zu allerdings bedeutenden Konsequenzen. Die kindliche Unerfahrenheit des erst sechzehnjährigen Helden, seine völlige Fremdheit in der Neuen Welt, lassen stets nur einen sehr kleinen Ausschnitt der objektiven Wirklichkeit in sein Bewußtsein treten. Somit erfährt auch der Leser nur wenig von dem, was tatsächlich geschieht, und dies obendrein unter dem überall wirksamen Einfluß einer häufig fehl gehenden, kindlichen Urteilsweise (vgl. 55).

Wie sehr eine Unterscheidung zwischen subjektiver Erfahrung und objektivem Geschehn im »Verschollenen« notwendig ist, soll die folgende Übersicht erläutern. Sie trennt versuchsweise die Erlebnisse Karls (linke Spalte) von der ihm nicht bewußt werdenden Aktion im Hintergrund (rechte Spalte).

Karl ist von seinen Eltern nach Amerika geschickt worden, weil ihn ein Dienstmädchen verführt und zum Vater gemacht hat.	Der Senator, Karls Onkel, hat durch das Dienstmädchen von der bevorstehenden Ankunft seines Neffen erfahren und ist entschlossen, ihn bei sich aufzunehmen.

---

[2] Beißner, Der Erzähler Franz Kafka, S. 28.

Im Begriff, das soeben eingelaufene Schiff zu verlassen, vermißt Karl seinen Regenschirm. Auf der Suche danach trifft er im Schiff einen zu Unrecht entlassenen Heizer. Karl redet ihm zu, sich beim Kapitän Recht zu verschaffen, und beide begeben sich zur Kapitänskajüte.

Das Schiffspersonal in der Kajüte läßt den Heizer zunächst nicht vor. Durch eine spontane Anrede erregt Karl das Interesse des Kapitäns, der den Heizer schließlich anhört. Dessen ungeschickte Rede bleibt aber ohne Wirkung. Unvermittelt fragt ein Herr nach Karls Namen. Im selben Moment tritt plötzlich der Vorgesetzte des Heizers ein, um gegen diesen auszusagen. Auf eine zweite Frage des unbekannten Herrn nennt Karl endlich seinen Namen und wird damit als der gesuchte Neffe erkannt.

Der Senator geht an Bord des gerade eingelaufenen Schiffs. Er bittet den Kapitän, der mit allen Schiffsorganen durch Meldeanlagen verbunden ist, Karl sofort ausfindig zu machen. Während die Suche im Gange ist, entspinnt sich zwischen den beiden Herren ein Gespräch.

Plötzlich treten zwei Männer ein und wollen ein Anliegen vorbringen. Der eine, noch unerwachsen, lenkt die Aufmerksamkeit auf sich, sodaß sich der Kapitän den beiden zuwendet. Das Aussehen des Jüngeren stimmt mit der Personenbeschreibung Karl Roßmanns überein, die der Senator besitzt. Er fragt daher nach dem Namen dieses Jüngeren. Da aber gerade jetzt jemand die Kajüte betritt, unterbleibt die Antwort. Erst auf seine wiederholte Frage erfährt der Senator, daß er tatsächlich seinen gesuchten Neffen vor sich hat.

An dieser Stelle, im Augenblick des Erkennens, vereinigen sich Handlung und Gegenhandlung, die Hintergründe werden aufgedeckt. Karl, nunmehr unter der Vormundschaft des Senators, macht einen letzten, vollständig mißglückenden Versuch, dem Heizer beizustehen. Damit erreicht die Handlung ihre Katastrophe, die zugleich – für Karl – ein happy ending ist.

Allein aus Karls Perspektive gesehen (linke Spalte) entwickelt sich aus der ganz zufälligen Begegnung mit dem Heizer eine selbständige Handlung mit Spiel und Gegenspiel. Das gemeinsame Vorgehen beider verursacht eine Intrige des Obermaschinisten, die bis zu seinem Eintreten beim Kapitän verborgen bleibt.

Die vom O n k e l in Gang gesetzte Handlung im Hintergrund (rechte Spalte) – aus ihr entwickelt sich die spätere Fortsetzung – nähert sich dem von Karl erlebten Geschehen schrittweise an. Ihr Ausgangspunkt ist der

Brief, durch den der Onkel vom Schicksal des Neffen erfährt und der, außer den Ankunftsdaten, auch eine Personenbeschreibung enthält. Damit sind von vornherein alle Voraussetzungen zur Auffindung und Rettung Karls gegeben, und die Handlung erreicht mit Notwendigkeit ihr Ziel, wenn auch, infolge der Heizerepisode, vorzeitig und auf unerwartete Weise.

4. RATIONALITÄT

Der objektive Handlungsplan, wie er sich an Hand der Übersicht verfolgen läßt, ist bis in jede Einzelheit durchdacht und motiviert. So ist zum Beispiel nicht nur die unerwartete Anwesenheit des Onkels auf dem Schiff begründbar, sondern auch sein zunächst im einzelnen unverständliches Verhalten. Hierfür ist von Bedeutung, daß der Kapitän von seinem Tisch aus das ganze Schiff durch ein System von Meldeanlagen dirigieren kann (A 28). Während nun Kapitän und Onkel sich zwanglos *über die amerikanischen Flottenverhältnisse* unterhalten (A 45), ist die Suche nach Karl bereits in vollem Gange. Fast jedermann in der Kajüte kennt ja schon den Namen des Gesuchten, noch ehe dieser überhaupt erscheint (33). Die Suche wiederum war nur sinnvoll, weil der Onkel im Besitz der Personenbeschreibung Karls ist (A 36 f.), die ihm von der Verführerin zugeschickt wurde. Ferner ist das Eingreifen des Obermaschinisten durch den Verrat des Küchenmädchens Line zu erklären. Line hat erfahren, daß der Heizer beim Kapitän vorsprechen will (A 18), und zögert nicht, dem Obermaschinisten davon Mitteilung zu machen. Dieser begibt sich nun ebenfalls zur Kajüte, wartet aber, wahrscheinlich horchend, erst den für ihn günstigsten Moment des Eintretens ab (A 29).

Diese Einzelheiten können nicht nebensächlich sein. Sie deuten auf ein sehr bestimmtes Streben nach Rationalität des Handlungsaufbaus und damit auf ein Prinzip, das — wie sich zeigen wird — den Stil des ganzen Romans wesentlich mitbestimmt[3].

---

[3] Der streng kausale Aufbau des »Verschollenen«, besonders des »Heizers«, wird merkwürdigerweise stets verkannt. Als neueres Beispiel hierfür die folgende Bemerkung M. Dentans: „Le premier chapitre de L'Amerique offre un exemple tout aussi caractéristique, non pas d'une simple histoire rêvée, mais d'un récit dont la logique s'apparente à celle des rêves. La rencontre de l'oncle et de son neveu sur le bateau, si on lui applique les critères ordinaires de la vraisamblance, n'est pas justifiée de manière suffisante. Il lui manque pour cela une détermination causale apparante" (S. 56).

Dem objektiven, a posteriori erkennbaren Bild des Gesamtgeschehens wirkt die Beschränkung auf einen subjektiven Erfahrungshorizont entgegen, der enger ist als in allen anderen Erzählungen Kafkas. Von Anfang an fällt daher nur ein relativ kleiner Umweltausschnitt ins Bewußtsein des Helden und, da Kafka stets einsinnig erzählt, auch des Lesers. Das wenige, das etwa von der selbständigen Aktion des Onkels in die Sphäre des Erzählten eindringt, bleibt über weite Strecken hinweg unverständlich. Der fremde Herr in Zivil, der, in seinem Notizbuch blätternd Karl eine Weile beobachtet, um dann schließlich eine belanglose Frage an ihn zu richten, wird vom Leser als nicht zur Sache gehörig kaum registriert[4]. Außer solchen Einzelheiten, die sich noch im Laufe der Erzählung selbst aufklären, bleiben andere für den Leser bis zum Schluß undurchschaubar. Die Erzählung geht in raschem Fortschritt über sie hinweg. Alle Momente aber, die auf einen noch nicht durchschauten Hintergrund deuten, ragen in das real-sichtbare Geschehen um den Heizer herein und entziehen ihm den Charakter des Wirklichen. In der unvermeidbar subjektiven Perspektive des Lesers erscheint das an sich rationale Ganze in eine Abfolge irrationaler Eindrücke aufgelöst.

Solche, durch Einengung der Perspektive erreichten irrationalen Wirkungen sind nicht ohne Vorbilder. Vor allem wird sich Vergleichbares in der erzählenden Literatur des 19. Jahrhunderts, etwa bei Arnim, Hoffmann, E. A. Poe oder der Droste gelegentlich finden, meist dort also, wo sich Darstellung des Unheimlichen oder Magischen mit realistischen Stiltendenzen verbindet.

6. »Ein Landhaus bei New York«. Aufbau

Einen nächsten in sich geschlossenen Handlungskomplex bilden die Ereignisse, in deren Verlauf Karl vom Onkel für immer getrennt wird. Dieses Geschehen setzt bereits am Schluß des zweiten Kapitels mit den Worten ein: *Aber schon am nächsten Tage wurde Karl in ein Büro des Onkels beordert*

---

[4] Max Brod verrät schon im zweiten Bild, auf S. 14 seiner Dramatisierung des »Verschollenen« dieses Geheimnis. Noch ehe Karl die Kapitänskajüte betritt, werden Kapitän und Onkel dem Zuschauer bekanntgemacht und damit alle objektiven Zusammenhänge vorweggenommen. Die Geschichte ist damit ihrer Spannung und Hintergründigkeit beraubt.

(A 61) und endet mit dem Schluß des dritten Kapitels. In ihrer inneren Geschlossenheit ist die neue Handlungspartie dem »Heizer« vergleichbar. Wie dort, so herrscht auch hier, bei strengster Einschränkung der Perspektive, das Prinzip der raum-zeitlichen Konzentration, da die Handlung im wesentlichen auf Pollunders Haus und einen Zeitraum von etwa fünf Stunden beschränkt bleibt. Auch diesmal wird daher die Scheidung in eine bewußte und außerbewußte Handlungssphäre Aufschlüsse vermitteln:

Der Onkel erlaubt nur widerstrebend, daß Karl der Einladung Pollunders folgt.

Karl und Pollunder machen sich auf den Weg zum Landhaus.

Durch Greens Anwesenheit im Landhaus ist Pollunder peinlich überrascht. Auch Karl spürt Widerwillen gegen Green. Karl strebt daher nach Hause, wird aber von Klara zunächst auf sein Zimmer geführt. Dort überwirft er sich mit ihr und ist nun fest zur Umkehr entschlossen. Er sucht Pollunder auf und bittet in Gegenwart Greens um die Erlaubnis zur Rückkehr. Freundlich versucht Pollunder ihn zum Bleiben zu überreden, aber Karl besteht auf seinem Entschluß. Green, an Stelle des Hausherrn, stimmt Karl zu. Er trägt ihm auf, sich erst von Klara zu verabschieden und ihn – Green – dann um Mitternacht nochmals aufzusuchen. –

Sofort schreibt der Onkel einen Abschiedsbrief an Karl und beauftragt Green, ihn um Mitternacht auszuhändigen. Green eilt mit dem Brief zum Landhaus und lädt sich dort zum Abendessen ein.

Green eröffnet Pollunder nach dem Essen den geheimen Zweck seines Besuchs und zwingt ihn, die Maßnahmen des Onkels gegen Karl zu dulden.

Karl erscheint und bittet Pollunder, ihm die Rückkehr zu ermöglichen. Um Pollunder an die schon getroffene Entscheidung zu mahnen, zieht Green demonstrativ den bewußten Abschiedsbrief hervor. Pollunder, in Verlegenheit, sucht Karl zum Bleiben zu veranlassen. Da Karl aber standhaft bleibt, stimmt Green Karl scheinbar zu; um ihn aber noch bis Mitternacht hinzuhalten, beauftragt er ihn, sich zunächst von Klara zu verabschieden.

Pünktlich um Mitternacht erhält Karl aus der Hand Greens den Abschiedsbrief des Onkels. Wendepunkt, Enthüllung des Hintergrunds und Katastrophe sind damit erreicht. –

Karls Verhalten im Hause Pollunders führt nicht wie im »Heizer« zu eigener Aktion, sondern hängt ab von den Schachzügen des Onkels, Greens und Pollunders. Karls Wollen beschränkt sich hier auf den nicht zu Ende

7

gebrachten Versuch, das Landhaus zu verlassen und zum Onkel zurückzukehren. Erst die Gesamtschau ergibt das Bild einer sehr bewegten Entwicklung. Vor allem Green zeigt sich von Anfang an höchst aktiv. Zielbewußt bringt er zunächst Klara, dann Pollunder, endlich auch das Hauspersonal unter seinen Einfluß und räumt somit schrittweise alles aus dem Wege, was den vorbestimmten Handlungsverlauf behindern könnte.

7. Rationalität und Irrationalität

In der streng finalen, vom Onkel in Gang gebrachten Gegenhandlung liegt der dramatische Schwerpunkt der Landhausgeschichte. Aber auch hier, wie überall im »Verschollenen«, vermag Karl Roßmann nur einen sehr schmalen Wirklichkeitssektor bewußt zu erfassen. Zwar ist die Gegenhandlung – in Gestalt Greens – meist sichtbar und gegenwärtig, wird aber als solche nicht erkannt. Green verschließt sorgfältig die ins Freie führende Glastür (A 70), er zieht Pollunder in ein geheimes Gespräch (A 77), hantiert auffällig mit einem Brief (A 95) und schenkt Karl eine *zufällig* genau passende Mütze (A 97). Diese und andere Einzelheiten fallen deutlich in Karls und des Lesers Wahrnehmung, ohne daß sich eine rationale Beziehung zum Geschehen sogleich herstellen ließe. Wie sorgfältig der Dichter aber derartige Beziehungen knüpft, läßt sich an einem Beispiel erläutern: Im Speisesaal vermißt Karl seinen Hut, den er dort liegengelassen hat (A 91 und A 97). Von irgendwo zieht Herr Green eine Mütze hervor und reicht sie Karl zum Ersatz (A 97). Erst im nächsten Kapitel nun folgt die Erklärung des seltsamen Vorgangs (A 115). Schon längst war die Mütze Karls Eigentum. Green hat sie auftragsgemäß bereitgehalten, um sie – nebst Reisekoffer und Schirm – zugleich mit dem Abschiedsbrief um Mitternacht an Karl auszuhändigen. Mit der vorzeitigen Übergabe der Mütze erlaubt sich Green einen boshaften Scherz, den Karl auch später nicht völlig durchschaut. Die Kopfbedeckung nämlich kennzeichnet die soziale Position ihres Trägers. Von dem Augenblick an, da er die Mütze aufsetzt – es ist eine „Reisemütze" – steht Karl wieder auf der Stufe des heimatlosen Auswanderer (vgl. 25). – Die in einer solchen Einzelheit sich verbergende konsequente Rationalität ist für das im Hintergrund waltende Geschehen kennzeichnend. Der Eindruck des Irrationalen entsteht allein wiederum aus der sehr beschränkten, subjektiven Erlebnisperspektive des Helden, über die der Erzähler nirgends hinausgreifen mag.

8

8. Spannungsmomente

Die zahlreichen in Karl Roßmanns Wahrnehmung fallenden undeutbaren Bilder erzeugen im Leser ein Gefühl untergründiger Gespanntheit. Auch in Karls Verhalten – lustlosem Essen (A 71), schlechtem Klavierspiel (A 103) – scheint sich dann und wann eine Ahnung des Verhängnisses auszudrücken. Ahnung von etwas Drohendem und Verbrecherischem tritt gelegentlich sogar ins Bewußtsein (A 71 und A 77) und wird am Ende, als Karl den Brief des Onkels entgegennimmt, durch die Worte *Ich habe es erwartet* (A 107) bestätigt. Die Ahnungen sind auf das Ende gerichtet und ersetzen in ihrer Finalität die dramatische Spannung, die aus Karls passivem Verhalten allein nicht erwächst.

Spannung erzeugen auch die gegen Schluß immer häufiger werdenden exakten Zeitangaben. Die erste Angabe erscheint unmittelbar nach Karls Entschluß, das Haus zu verlassen. *Seine Taschenuhr, ein Geschenk des Onkels, zeigte elf Uhr* (A 84). In dem Augenblick also, da es Karl auf möglichst rasche Aktion ankommt, beginnt die meßbare Zeit eine Rolle zu spielen. Ein weiteres Mal gibt Green zugleich mit dem Befehl, daß sich Karl um Mitternacht zum Empfang der Botschaft bei ihm zu melden habe, ein genaues Zeitmaß: *Jetzt ist es viertel zwölf* (A 99). Damit ist das folgende Geschehen final auf einen nahen und präzisen Zeitpunkt ausgerichtet. Knapp nacheinander folgen nun die weiteren Angaben: *halb zwölf* (A 101), *bald dreiviertel zwölf* (A 103), *dreiviertel zwölf* (A 104) und schließlich *zwölf Glockenschläge* (A 105). Diese Angaben haben etwas vom Ticken einer Höllenmaschine, die, vom Onkel in Gang gesetzt und von Green überwacht, ununterbrochen auf die zeitlich genau vorberechnete Katastrophe hinarbeitet. Sie beweisen Kafkas erzählerische Präzision, seine ganz genaue, dramaturgische Arbeitsmethode.

9. »Der Fall Robinson«. Aufbau

Schon auf den letzten Seiten des Kapitels »Hotel Occidental« vollzieht sich der Übergang zu einem dritten Handlungszentrum – dem »Fall Robinson« – das in seiner inneren Geschlossenheit, der wiederum bemerkenswerten räumlich-zeitlichen Konzentration, den zuvor betrachteten ähnlich ist. Die Trennung in bewußte und außerbewußte Aktion (linke und rechte Spalte soll daher auch hier den Überblick erleichtern.

9

Der Liftjunge Renell bittet Karl eines Abends, ihn am Lift zu vertreten, denn er ist von Delamarche zum Abendessen eingeladen worden.

Verabredungsgemäß versieht Karl seinen Nachtdienst, als plötzlich Robinson erscheint und ihn in seiner Trunkenheit zu kompromittieren droht. Es gelingt Karl, Robinson im Schlafsaal der Liftjungen zu verbergen. – Durch Zu-Zufall (?) ist Karls kurze Abwesenheit sofort bemerkt worden. Karl wird deshalb vor den Oberkellner zitiert, der ihn für fristlos entlassen erklärt. Zugleich erfährt der Oberkellner von den Vorgängen im Schlafsaal. Noch während er von dort einen Anruf entgegennimmt, erscheint die Oberköchin, um Karl zu helfen. Als auch sie von dem Skandal erfährt, entzieht sie Karl ihr Vertrauen. Karl muß unter schmählichen Umständen das Hotel verlassen.

Delamarche will mit allen Mitteln Karl in Bruneldas Dienste zwingen. Er trifft sich eines Abends mit Karls Kollegen Renell und gewinnt ihn für seinen Plan. Robinson soll im Hotel durch einen Skandal Karls Entlassung bewirken. Er trinkt sich Mut an und wird noch in derselben Nacht in das Hotel dirigiert, wo er sich an Karl heranmacht.

Von Karl in den Schlafsaal gebracht, schläft Robinson sofort ein, wird aber bald von den Liftjungen entdeckt und zur Rede gestellt. Robinson randaliert und beruft sich auf eine intime Freundschaft zu Karl. „Zum Spaß" verprügeln ihn die Liftjungen. Einer von ihnen meldet die Vorgänge telephonisch dem Oberkellner und nennt Karls Namen, was zu dessen Entlassung führt. Robinson wird von den Liftjungen aus dem Hause befördert, sehr gegen seinen Willen, denn er möchte Karl noch im Hotel abfangen. Der Zufall kommt ihm zu Hilfe: Robinson trifft Karl am Ausgang.

Für Karl Roßmann ist die Entlassungsaffäre der verzweifelte Kampf um das eigene Recht. Das Problem der Gerechtigkeit hat durchaus den Vorrang vor der Existenzfrage, das zeigt sich vor allem, als Karl die bloß materielle Unterstützung, die ihm die Oberköchin am Schluß noch anbietet, ausschlägt (A 216 f.). Anders als im »Landhaus«, aber ähnlich wie im »Heizer« erhält dadurch das Geschehen, trotz aller Rätselhaftigkeit, auch in Karls Bewußtsein Sinn und eigenes Gewicht. Von Anfang an kann der Leser hier die finale Entwicklung verfolgen. Das Auftauchen Robinsons ruft einen Konflikt hervor, der seinen Höhepunkt erreicht, als die Oberköchin dem schwerbedrängten Karl zunächst beistehen will (A 207). Die telephonische Meldung aus dem Schlafsaal bringt den Umschwung. Von nun an bewegt sich alles auf die Katastrophe hin: ungerechte Beschuldigung, Vertrauensverlust und „Bestrafung" schließen sich in rascher Folge an, das gleichzeitige große Schlagen aller Hoteluhren setzt, wie im »Landhaus«, den Schlußakzent (A 214).

10. Hintergrund

Zwar verrät auch die Dramaturgie des »Falles Robinson« die schon vom »Heizer« und »Landhaus« her bekannte grundsätzlich kausale Struktur. Dennoch stößt die Rekonstruktion des objektiven Tatbestands hier zum ersten Mal auf Schwierigkeiten. Wie es scheint deutet schon das Zusammentreffen von Karl und Robinson am Schluß − ein Ergebnis des Zufalls − auf eine nicht völlig konsequente Verwirklichung des Plans. Kafka selbst schreibt über dieses Kapitel in einem Brief an Max Brod vom 13. 11. 1912: *Vorläufig ist der ganze Roman unsicher. Ich habe gestern das sechste Kapitel mit Gewalt, und deshalb roh und schlecht beendet: zwei Figuren, die noch darin hätten vorkommen sollen, habe ich unterdrückt. Die ganze Zeit, während der ich geschrieben habe, sind sie hinter mir her gelaufen, und da sie im Roman selbst die Arme hätten heben und die Fäuste ballen sollen, haben sie das gleiche gegen mich getan. Sie waren immerfort lebendiger als das, was ich schrieb* (Br. 111). Demnach hätte der Dichter die ursprünglich noch vielfältigere Konzeption des »Falles Robinson« − indem er sie zu Papier brachte − vereinfacht[5]. Es liegt also nahe, gewisse Unklarheiten der Handlungsfolge auf jenen von ihm selbst empfundenen Mangel zurückzuführen. Unklar ist vor allem die Funktion des Liftjungen Renell, der in Delamarches Komplott eine wichtige Rolle zu spielen scheint. Vermutlich war dieser mit den Hotelverhältnissen genau vertraute „Freund" und Kollege Karls von Delamarche dazu bestochen worden, die Aktion gegen Karl vom Hintergrund aus zu dirigieren. Im Hintergrund mußte er sich ja halten, um nicht etwa selbst in den Skandal hineinzugeraten. Zwar wäre es denkbar, daß Renell den Mittelsmann zwischen dem exakt planenden Delamarche und dem tölpelhaften Robinson abgibt, doch reichen die Indizien nicht aus, um dies mit Sicherheit vorauszusetzen.

---

[5] Jedenfalls zeigt die Handschrift keinerlei wesentliche Streichungen oder Korrekturen.

11

Hiervon abgesehen wird der an sich schon genug rätselhafte »Fall Robinson« durch die auch hier stark wirkende perspektivische Einengung weiter verschleiert und ins fast Unwirkliche entrückt. So bleibt vor allem die Vorgeschichte des Falls, dasjenige, was Delamarche zu seiner Intrige gegen Karl eigentlich veranlaßt hat, bis weit über den Kapitelschluß hinaus dunkel. Erst Robinsons Aussagen zur Person Bruneldas im folgenden Teil schaffen hierüber Klarheit (A 261–275).

11. Analogie der Handlungsfunktionen

Es mag aufgefallen sein, daß in allen drei bisher betrachteten Handlungszentren gewisse Konfigurationen und Rollen gleichsam in wechselnder Besetzung wiederkehren. Dies zu erläutern diene zunächst das Kapitel »Ein Landhaus bei New York«. Die Beziehungen der Hauptfiguren untereinander seien in einer einfachen Skizze dargestellt, wobei die Pfeilrichtung die Richtung des Willenseinflusses bezeichnen soll:

Der Onkel ist der persönliche Urheber des Geschehens, denn seine Verurteilung Karls legt den Grund zur Katastrophe. Green ist in der Hauptsache Repräsentant und Vollstreckungsbeauftragter des Onkels. Pollunders Position wandelt sich: er unterstützt zunächst Karl, den er an sich gelockt hat, läßt ihn aber später fallen und gerät unter den Einfluß Greens und damit indirekt des Onkels. Für Karl bleibt nur die Rolle des Opfers.

Eine entsprechende Anordnung für den »Fall Robinson« ergibt folgendes Bild:

Die oberste Autorität erscheint hier unpersönlich, als der anonyme Machtfaktor der Hotelorganisation. Karl hat gegen die Hoteldisziplin verstoßen, wie vorher gegen die vom Onkel geforderte persönliche Disziplin. Als ver-

12

urteilende Instanz ist daher das Hotel der letzte Grund seines Unglücks. Der Oberkellner ist – wie Green – das vollstreckende Organ. Die Oberköchin wandelt sich auf ähnliche Weise wie Pollunder: Nachdem sie Karl an sich gezogen hat, steht sie ihm zunächst helfend zur Seite. Später, in der entscheidenden Phase des „Falles", gerät sie unter den Einfluß des Oberkellners und wendet sich von Karl ab.

Mark Spilka nennt den Oberkellner und die Oberköchin „parental figures"[6]. Dies ist um so richtiger, als sich Karls wirkliche Eltern im Grunde nicht anders verhalten. Ein Roßmann'sches Familienphoto schildert eindringlich die internen Machtverhältnisse. Es zeigt im Vordergrund sitzend und *ein wenig eingesunken* die Mutter, hinter ihr, *hoch aufgerichtet* und mit geballter Faust, den Vater (A 117) (vgl. 63). Karls Mutter hat sich der Macht des Vaters längst gebeugt; ihre Abhängigkeit von ihm beruht ja naturgemäß auf den gleichen Voraussetzungen wie jene der Oberköchin vom Oberkellner, die ein Verhältnis miteinander haben[7]. Im Keim liegt daher auch der Vorgeschichte des »Verschollenen« dasselbe bisher beobachtete Funktionsschema zu Grunde:

Setzt man an Stelle Karl Roßmanns den Heizer in den Mittelpunkt des ersten Kapitels, so werden dort – bei vertauschten Rollen – ähnliche Grundfunktionen sichtbar:

Hier vertritt der Kapitän die höchste Autorität. Von ihm geht das Verbannungsurteil über den Heizer aus. Vollstrecker ist Schubal, der Obermaschinist. Die Rolle Karls ist jetzt derjenigen Pollunders oder der Oberköchin vergleichbar: Karl nimmt sich zunächst des Heizers an, muß ihn

---

[6] Spilka, S. 113.

[7] Man vergleiche hierzu Kafkas »Brief an den Vater«: *Es ist wahr, daß die Mutter grenzenlos gut zu mir war, aber alles das stand für mich in Beziehung zu Dir, also in keiner guten Beziehung. Die Mutter hatte unbewußt die Rolle eines Treibers in der Jagd* (H 182).

aber später, dem Willen des Kapitäns (und des Onkels) gemäß, seinem Schicksal überlassen. – Übrigens scheint Karl selbst im Geschick des Heizers unbewußt eine Spiegelung des eigenen Schicksals zu sehen. Seine außerordentliche Anteilnahme läßt sich eben hieraus im Sinne eines geahnten „tua res agitur" vorläufig erklären (vgl. 59).

Eine bedeutsame, im Roman stets wiederkehrende Funktion tragen die Verführerinnen. So bildet Karls Verführung durch das Dienstmädchen Johanna geradezu das Urereignis des ganzen Romans. Weniger direkt dargestellt, aber von der gleichen Bedeutung ist der Verführungsakt im Landhause Pollunders. Dort wird Karl von Klara *erwartet* (A 63), um ihretwillen läßt er sich vom Onkel fortlocken. – Im »Fall Robinson« treten zwar nur männliche Verführer in den Vordergrund, wie sich aber später herausstellt ist Brunelda und ihr Bedarf nach einer *Hilfskraft* (A 272) Anlaß des ganzen Unheils. – In der Heizer-Affäre ist das Verführungsmoment angedeutet in dem Verhältnis des Heizers zu dem koketten Küchenmädchen Line (A 18). Line trägt überdies durch ihren Verrat die Schuld am endgültigen Scheitern der Bemühungen Karls um den Heizer (vgl. 4). Vordergründig betrachtet sind all diese Verführerinnen Nebenpersonen, sind Anlaß, nicht Ursache der Katastrophe – das gilt bis zum Ende des sechsten Kapitels sogar für Brunelda. Der Dichter verlegt den Verführungsakt meist hinter die Kulissen, verschleiert ihn oder ersetzt ihn gar durch hintersinnige Bildzeichen, die freilich nur um so mehr auf eine tiefere Erlebnisschicht hindeuten.

12. Der Mythos

Die soeben untersuchten drei Handlungszentren, sowie die Vorgeschichte Karl Roßmanns können nunmehr als verschiedene Verwirklichungen ein und desselben Handlungsplans bezeichnet werden. Dieser Plan bleibt unverändert, während sich die Figuren und Szenenräume verändern; er wäre in allgemeinster Form etwa folgendermaßen anzugeben:

Ein Mensch hat innerhalb einer festen Daseinsordnung gelebt. Da verführt ihn jemand zu einer Handlung, die dieser Ordnung widerspricht. Ohne Schuld schuldig, wird er von einer höchsten Autorität sofort und ohne Möglichkeit der Rechtfertigung ausgestoßen.

Dieser unveränderliche Grundplan ist in seiner Bedeutung dem vergleichbar, was Aristoteles einst – in Bezug auf die ganz andere Gattung der Tragödie – den Mythos genannt hat[8]. Der Mythos der Tragödie ist nicht so sehr die konkrete Handlung selbst, nicht also ein zeitlich-räumlich bestimmter, einmaliger Vorgang, sondern der überindividuelle Plan, das abstrakte Kompositionsschema einer möglichen Handlung, das eine unendliche Anzahl verschiedener Verwirklichungen zuläßt.

Überträgt man den Begriff des Aristoteles in der Weise einer Analogie auf den »Verschollenen«, so wäre zu sagen, daß mehrere verschiedene Ausprägungen desselben Mythos im Rahmen e i n e s Romans dort vereinigt sind[9].

Von der bloß technisch-dramaturgischen Bedeutung abgesehen, bezeichnet „Mythos" weiterhin einen überlieferten Urvorgang von tiefer, allgemein menschlicher Bedeutsamkeit. Auch in diesem Verstand soll der Begriff schon jetzt vorwegnehmend gebraucht werden. Wie der Inhalt des Handlungsplans verrät, erzählt Kafka etwas, das zu der aus der Genesis bekannten Geschichte vom S ü n d e n f a l l in engster Beziehung steht. Daß diese transzendete Bezüglichkeit dem Dichter damals, zur Zeit der Konzeption vollkommen bewußt war, ist zwar wahrscheinlich, läßt sich aber durch gleichzeitige Daten außerhalb der Dichtung nicht unmittelbar belegen. Erst spätere Aufzeichnungen bezeugen in einer Reihe von Andeutungen und Aphorismen Kafkas tiefe Bindung an dieses noch zu untersuchende Problem (s. 64). 1920 schrieb Kafka an Milena Jesenska: *manchmal glaube ich, ich verstehe den Sündenfall wie kein Mensch sonst* (BrM 199).

Jede weitere Wiederkehr des „Mythos" bestätigt die innere Notwendigkeit seines Vollzugs. Diese eben aber bedeutet Unabhängigkeit der Handlung von den Bedingungen der Individualitäten oder des Milieus. Es wäre wenig fruchtbar, das Verhalten der handelnden Personen psychologisch, vom individuellen Charakter her, oder soziologisch, aus der jeweiligen Besonderheit der Umwelt erklären zu wollen. Scheinbare oder tatsächliche Unzulänglichkeiten der Motivation bedeuten wenig gegen das Gesetz des mythischen Geschehens, dessen Wurzeln tief im Weltbild des Dichters zu suchen sind (s. 68). Die Archaik des „Mythos" auf der einen, die Realität des *aller-*

---

[8] Aristoteles, Poetik, 1450ª.

[9] Der Begriff »Fabel« würde zur Kennzeichnung des hier gemeinten Phänomens nicht ausreichen. – Camus wendet den Begriff „Mythos" zwar nicht unmittelbar auf Kafka an, wählt aber zur Erläuterung (in einem sehr allgemeinen Sinne) das Beispiel der griechischen Tragödie (Ödipus). Wie das Absurde durch das Logische, so drücke Kafka die Tragödie durch das Gewöhnliche aus.

15

modernsten Amerika[10] auf der anderen Seite, bilden eine der auffallendsten Paradoxien des Romans, dessen transzendenter Bedeutungshintergrund schon hier zu Vorschein kommt.

13. DER „MYTHOS" UND »DIE SÖHNE«

Daß der soeben definierte „Mythos" vom Verstoßenen in der Vorgeschichte des Romans bereits vollständig enthalten ist, bedarf noch einiger Erläuterung. Mitteilungen über die Verhältnisse und Vorgänge in Karl Roßmanns Elternhaus zu Prag sind selten, sie verteilen sich sporadisch über den ganzen Roman, formen aber dennoch ein anschauliches Gesamtbild, in welchem die drei Hauptstationen: Geborgenheit – Verführung – Strafe klar hervortreten. Das heimische Milieu ist die bekannte kleinbürgerlich-patriarchalische Lebenssphäre, wie sie etwa in der folgenden Reminiszenz heraufbeschworen wird:

Karl (war) *zu Hause am Tisch der Eltern gesessen und hatte seine Aufgaben geschrieben, während der Vater die Zeitung las oder Bucheintragungen und Korrespondenzen für einen Verein erledigte und die Mutter mit einer Näharbeit beschäftigt war und hoch den Faden aus dem Stoffe zog. Um den Vater nicht zu belästigen, hatte Karl nur das Heft und das Schreibzeug auf den Tisch gelegt, während er die nötigen Bücher rechts und links von sich auf Sesseln angeordnet hatte. Wie still war es dort gewesen! Wie selten waren fremde Leute in jenes Zimmer gekommen! Schon als kleines Kind hatte Karl immer gerne zugesehen, wenn die Mutter gegen Abend die Wohnungstür mit dem Schlüssel absperrte* (A 294 f.).

Die letzten Sätze deuten auf die von Karl damals empfundene häusliche Geborgenheit. Sie kommt ferner zum Ausdruck in jener Kinderszene von rührender Kraft, in der der kleine Karl mit der Mutter den heimatlichen Christmarkt besucht (A 51; Zitat s. 55). Von vornherein freilich ist das Kindheitsidyll durch die bis ins Physische spürbare Autorität des Vaters getrübt und eingeschränkt (vgl. 63 u. 65). Karls Verführung durch das Dienstmädchen – eindringlich geschildert im »Heizer« (A 37 f.) – gibt den Anlaß zur unwiederbringlichen Zerstörung des Paradieses. Die tieferen Gründe und Ursachen des schließlichen Unheils müssen jedoch in der nicht klar

---

[10] So nennt es Kafka in dem schon zitierten Brief an Wolff (s. Anm. 1), vom 25. 5. 1913 (Br 117).

durchschaubaren Persönlichkeit des V a t e r s gesucht werden: Er selbst hat das Urteil gefällt, wenn auch nicht verkündet. Hierzu war die Mutter ausersehen; sie hat Karl damals *am Fenster an einem schrecklichen Abend die Amerikareise angekündigt* (A 118). Wie zur Bekräftigung seiner Urheberschaft übergibt der Vater eigenhändig den gepackten Reisekoffer an Karl – *für immer* (A 15). Daß die Strafaktion des Vaters den T o d des Sohnes mittelbar aber kausal zur Folge hat, ergibt sich aus der Analyse des Romans, muß aber schon hier vorweggenommen werden (s. 47).

Es sei nochmals daran erinnert, daß das einleitende Kapitel des »Verschollenen«, »Der Heizer«, zumindest eine Zeit lang vom Dichter als Teil der von ihm selbst so genannten Trilogie »Die Söhne« verstanden worden ist (vgl. 1)[11]. Der vielsagende Übertitel allein deutet auf wesentliche Gemeinsamkeiten, und es zeigt sich, wie das schon im »Heizer« sichtbare, hier als Mythos bezeichnete Handlungsschema in den beiden Nachbarerzählungen »Das Urteil« und »Die Verwandlung« wiederkehrt.

Wie Karl Roßmann stammt auch der Kaufmannssohn Georg Bendemann im »Urteil« aus der Sphäre einer kleinbürgerlich-patriarchalischen Daseinsordnung. Diese in sich friedliche Ordnung wird durch Georgs Verlobung mit einem Fräulein Frieda Brandenfeld gestört und erschüttert. Der Vater jedenfalls betrachtet den Entschluß des Sohns als schuldhaften Übergriff und Verletzung seiner Autorität, er deutet ihn zudem in krasser Weise als das Ergebnis einer Verführung: *Weil sie die Röcke gehoben hat, . . . hast du dich an sie herangemacht* (E 64). Die Parallele zu der im »Heizer« ebenfalls kraß geschilderten Verführungsszene wird hier recht deutlich. Während Karl Roßmanns Strafe nur mittelbar zum Tode führt, wird die Strafe Georgs viel drastischer als Todesurteil verbaliter verkündet: *Und darum wisse: Ich verurteile dich jetzt zum Tode des Ertrinkens!* (E 67). Die sofortige Selbstvollstreckung dieses Urteils enthüllt wiederum sehr drastisch die zuvor nur latente, vom Sohn jetzt aber bedingungslos anerkannte väterliche Autorität.

---

[11] *›Der Heizer‹, ›die Verwandlung‹ . . . und das ›Urteil‹ gehören äußerlich und innerlich zusammen, es besteht zwischen ihnen eine offenbare und noch mehr eine geheime Verbindung, auf deren Darstellung durch Zusammenfassung in einem etwa ›Die Söhne‹ betitelten Buch ich nicht verzichten möchte* (Brief an Wolff vom 11. 4. 1913; Br 116). – Mehr als zwei Jahre später schlägt Kafka Kurt Wolff nochmals vor, drei seiner Erzählungen unter dem Titel »Strafen« in einem Bande herauszugeben (Br 148 f.), diesmal: *„Urteil – Verwandlung – Strafkolonie“. Diese Geschichten geben eine gewisse Einheit.* Über die Beziehung der »Strafkolonie« zur Thematik des „Verschollenen“ s. 67.

Was »Die Verwandlung« betrifft, so sind auch in ihr Analogien zum „Mythos" der Nachbarerzählungen zweifellos, wenn auch in versteckterer Form, enthalten. Wie diese läuft sie auf die Tötung des Sohnes hinaus, dessen Überreste gefühllos und ohne jede Förmlichkeit beiseitegeräumt werden. Daß der Vater den Tod des Sohnes verursacht, wird scheinbar nur am Rande mitgeteilt. Von ihm aber erhält Gregor jene „schwere Verwundung" (E 118), an der er schließlich zugrunde geht. Die todbringende Waffe ist ein Apfel: *der Vater hatte sich entschlossen, ihn zu bombardieren. Aus der Obstschale auf der Kredenz hatte er sich die Taschen gefüllt und warf nun, ohne vorläufig scharf zu zielen, Apfel für Apfel . . . Ein schwach geworfener Apfel streifte Gregors Rücken . . . Ein ihm sofort nachfliegender drang dagegen förmlich in Gregors Rücken ein . . . der Apfel blieb, da ihn niemand zu entfernen wagte, als sichtbares Andenken im Fleische sitzen* (E 117 f.).

Wie in Kafkas Dichtungen nicht selten, tritt hier ein allegorisches Bildzeichen an die Stelle der unmittelbaren Aussage[12], denn sicherlich deutet das biblische Fruchtsymbol auf den mythischen Zusammenhang aller drei Sohnesnovellen. Wenn nicht alles trügt, erscheint das Verführungsmotiv schon gleich zu Beginn der Erzählung: der erste Gegenstand seiner Umwelt, den Gregor Samsa (nach soeben vollzogener Verwandlung) wahrnimmt, ist ein Bild, *das er vor kurzem aus einer illustrierten Zeitschrift ausgeschnitten und in einem hübschen, vergoldeten Rahmen untergebracht hatte. Es stellte eine Dame dar, die, mit einem Pelzhut und einer Pelzboa versehen, aufrecht dasaß und einen schweren Pelzmuff . . . dem Beschauer entgegenhob* (E 71). Dieses Bild erhält im weiteren Verlauf der Geschichte seine besondere Bedeutung. Nachdem Mutter und Schwester einen Teil der Möbel aus Gregors Zimmer gegen seinen Willen schon entfernt haben, entschließt er sich verzweifelt zur Rettung des übrigen: *er wußte wirklich nicht, was er zuerst retten sollte, da sah er an der im übrigen schon leeren Wand auffallend das Bild der in lauter Pelzwerk gekleideten Dame hängen, kroch eilends hinauf und preßte sich an das Glas, das ihn festhielt und seinem heißen Bauch wohltat. Dieses Bild wenigstens, das Gregor jetzt ganz verdeckte, würde nun gewiß niemand wegnehmen* (E 113). Gregors Verhalten führt zur Katastrophe. Die Mutter, die ihn, da er hervorgekrochen ist, jetzt erblicken muß (*er saß auf seinem Bild und gab es nicht her*; E 113), wird ohnmächtig. Dies wiederum ist Anlaß und Ursache für das tödlich strafende Eingreifen des Vaters. — Wenn auf eine eingehendere Interpretation des »Urteils« und der »Verwandlung« hier auch verzichtet werden muß, so dürfte doch einiges von dem, was Kafka selbst die *geheime Verbindung* (Br 116) seiner drei Geschichten genannt hat, mit diesen Hinweisen erfaßt sein.

Kafka gebraucht allegorische Bildzeichen gar nicht selten, vor allem aber dort, wo hintergründige Zusammenhänge zugleich betont und dem Bewußtsein entrückt werden sollen (vgl. 25). So tritt Brunelda – der Anlaß alles Unglücks im »Fall Robinson« – erst nach erfolgter Katastrophe in die sichtbare Handlung ein. Kurz bevor nun Robinson, ihr mittelbarer Abgesandter, sich seines Auftrags entledigt, erscheint das Zeichen der Frucht. Während des Nachtdienstes am Aufzug hat Karl von seiner Freundin, dem ehemaligen Küchenmädchen Therese, einen Apfel zum Geschenk erhalten: *Er lehnte schwer am Geländer neben seinem Aufzug, aß langsam den Apfel, aus dem schon nach dem ersten Biß ein starker Duft strömte ... Da klopfte ihm jemand auf die Schulter ...* (A 181 f.). Es ist dies Robinson, dessen Auftritt mit der erneuten Wendung zur Katastrophe gleichbedeutend ist[13]. Daß das Apfelsymbol in der »Ausreise Bruneldas« nochmals auftaucht, diesmal ironisch, mit unmittelbarer Beziehung auf Brunelda selbst, sei vorweggenommen (s. 17). Im ersten Kapitel des Romans »Der Prozeß« erhält der Apfel eine geradezu thematische Funktion (vgl. 68).

Daß man den inneren Zusammenhang der drei Sohnesgeschichten bisher kaum gewürdigt hat, ist bemerkenswert, zumal an der thematischen Einheit der R o m a n e offenbar nie Zweifel bestanden. Diese hatte Max Brod schon in seinem Nachwort zur ersten Ausgabe des »Verschollenen« (1927) zutref-

---

[12] Für die »Verwandlung« hat B. v. Wiese eine Möglichkeit symbolischer Deutung zwar erwogen, will jedoch das Bild „in seiner Gegenständlichkeit belassen" (S. 338 f.) – Politzer sieht im Apfelsymbol bloße „Anklänge an Urschuld und Sühne", „artistisch-spielerische Hinweise auf die in der Erzählung angelegten Möglichkeiten einer metaphysischen Interpretation" (S. 116), von deren Verfolgung er abrät. Dagegen betrachtet er die „Rundheit" der Äpfel als symbolische Entsprechung zu „den Kreisen, die Gregor durch das Zimmer zog, ehe sie seinem Lauf Einhalt geboten" (S. 115). – Für Weinberg, der fast in jedem einzelnen Wort Kafkas eine messianische Geheimbotschaft entdeckt, versteht sich die im Bild des Apfels enthaltene Symbolik von selbst. Um so mehr sei betont, daß die hier geübte Methode von derjenigen Weinbergs gänzlich verschieden ist und sein möchte. Der seinem Buch durch M. Pasley zuteil gewordenen Beurteilung schließe ich mich an (German Life & Letters 18, S. 62).

[13] Mit den Worten *Nach vier Uhr früh* ... (A 181) beginnt – nach Kafkas authentischen Angaben – das Kapitel »Der Fall Robinson«. Brods Kapiteleinteilung ist hier ungenau (vgl. 14). – Auch hier – wie sonst – hat Politzer die Frucht als Sündenfall-Symbol erkannt (S. 215 f.); (vgl. S. 115 f.).

fend als »Trilogie der Einsamkeit« bezeichnet, eine Auffassung, die der Dichter selbst durch die symbolische Namenschiffre „K" seiner Helden nahegelegt hat[14]: Karl Roßmann, Josef K. und K., der Landvermesser. Nicht zuletzt wesentlich ist auch der chronologische Zusammenhang beider Trilogien, wie ihn die folgende Übersicht verdeutlicht[15]:

Sept. 1912: »Das Urteil«
Oktb. 1912: »Der Heizer« ————————→ »Der Verschollene« 1912/14
Novb. 1912: »Die Verwandlung«   »Der Prozeß« 1914/15
                                »Das Schloß« 1922

Die Stellung des »Heizers« als zentrales Bindeglied wird hieraus ohne Zwang ersichtlich: die Erzählung ist einerseits Teil der Trilogie »Söhne«, zum andern Teil des »Verschollenen«, des ersten der drei großen Romane[16]. Sieht man die Romane wiederum als Trilogie, als Ausprägungen einer gemeinsamen großen Intention, so muß diese mit den »Söhnen« in enger thematischer Verbindung stehen, und damit auch mit dem „Mythos" und seinem Hintergrund unmittelbar und buchstäblich zusammenhängen. Vermutungen und Hinweise, die solches bestätigen, bieten sich zahlreich an, bleiben jedoch Spekulation, solange eine gründliche Textanalyse der beiden späteren Romane noch aussteht. (Über das, was im Rahmen dieser Studie hierzu noch gesagt werden kann, s. 68).

---

[14] Eine Art autopsychologischen Zusammenhang der »Söhne« verrät die Handschrift. Fünf Mal im Manuskript des »Heizers« (sowie einmal im Kapitel »Der Onkel«) erscheint an Stelle von *Karl* zunächst der Name *Georg*, ein Fehler, den Kafka teils sofort, teils nachträglich beseitigte. G e o r g Bendemann aber heißt der Held der kurz zuvor entstandenen Erzählung »Das Urteil«. Dieser Name wiederum ist Kryptonym für „Franz Kafka" (vgl. T 297). Einen hierzu analogen Fall entdeckten Pasley/Wagenbach (Versuch einer Datierung): Die nach dem »Heizer« entstandene »Verwandlung« bringt im MS an mehreren Stellen den Namen *Karl* statt *Gregor*.

[15] vgl. Pasley/Wagenbach, Versuch einer Datierung.

[16] Politzer läßt Kafkas Bemerkung über »Die Söhne« (Br 116) außer Betracht und damit das gesamte Trilogie-Problem. Ebenso Emrich, der in seiner Kafka-Monographie auf eine Stellungnahme zum »Urteil« ganz verzichtete. – Ein direkter Hinweis auf »Die Söhne« findet sich inzwischen bei Schillemeit (S. 180 f.). Letzterer sieht immerhin im „Verlust des ‚Zuhause'" das Gemeinsame der drei Geschichten. – Sokel zitiert zwar die bewußte Briefstelle (S. 78), jedoch ohne Nutzanwendung. Er mag nicht bemerken, daß auch in der »Verwandlung« der Vater den Sohn tötet (Politzer hatte dies – S. 115 – richtig gesehen). – Daß auch im »Heizer« ein analoger Vater-Sohn-Konflikt (mit symbolischem Todesurteil) vorliegt, blieb bisher unberücksichtigt. – Eine Reihe wichtiger Motivbeziehungen des »Verschollenen« zu den Nachbarerzählungen erwähnt W. Jacobi (S. 65 ff.).

14. Die ersten sechs Kapitel (Aufbau)

Die Kapitel eins bis sechs dürfen angesichts der vom Dichter selbst gesetzten Überschriften als in sich vollendeter, fertig gegliederter Teil des Ganzen behandelt werden[17]. Diesen nenne ich im folgenden kurz den ersten Teil. Verfolgt man die hierin enthaltenen Varianten des „Mythos" in ihrem Nacheinander, so wird ohne weiteres ein Bild des Aufbaus in seinen Umrissen sichtbar.

Im Rahmen dieses ersten Teils (wie auch des ganzen Romans) dient zunächst das einleitende Kapitel (»Der Heizer«) als Exposition des „Mythos", den es gleichsam gespiegelt in zweifacher Gestalt enthält (vgl. 11). Es dient damit zugleich auch als Überleitung von der Vorgeschichte Karl Roßmanns zur erzählten Gegenwart und bildet, so betrachtet, ein Zwischenspiel, das den Übertritt des Helden vom alten zum neuen Schauplatz seines immer gleichen Schicksals vermittelt.

Mit dem zweiten Kapitel tritt nach der starken, dramatischen Bewegtheit des ersten eine epische Ruhepause ein. Ein neuer Zustand der Geborgenheit ist erreicht und wird in der präzisen Schilderung der neuen Umwelt berichtend durchmessen. Die Pause ist kurz, denn schon etwa im letzten Drittel dieses Kapitels, beginnt eine erste Durchführung und Variante des Themas: in streng funktionalem Ablauf beginnt der Mythos aufs neue wirksam zu werden, jetzt in neuer Umwelt und mit anderen Figuren. Mit dem Szenenwechsel, der das dritte Kapitel (»Ein Landhaus bei New York«) einleitet, steigert sich das Tempo, und alles bewegt sich in rascher Folge auf die Katastrophe hin.

In der Zusammenschau bilden somit die ersten drei Kapitel eine klar abzugrenzende Einheit, deren Selbständigkeit kaum geringer ist, als die des darin enthaltenen Heizerkapitels.

Nach gleicher Betrachtungsweise kann man nun am vierten Kapitel jene schon am »Heizer« beobachtete überleitende Funktion wiedererkennen. Der Weg führt Karl in die neue Umwelt des Hotels und damit in einen neuen, dritten Zustand der Geborgenheit. Als Gegenstück zu Kapitel zwei bringt auch das fünfte Kapitel (»Hotel Occidental«) einen Bericht über die neuen Umweltverhältnisse, während das sechste (»Der Fall Robinson«) eine abermalige Durchführung des „Mythos" enthält. Wiederum bilden drei Kapitel – das vierte, fünfte und sechste – in der Zusammenschau eine kompositorische Einheit. Stellt man sie der Kapitelgruppe eins bis drei gegenüber,

---

[17] Die Titel »Ein Asyl« und »Das Naturtheater von Oklahoma« prägte Max Brod.

so wird die strukturelle Symmetrie beider Gruppen zueinander sichtbar. Sie drückt sich in den Kapitelnummern gewissermaßen auch arithmetisch aus:

(Vorgeschichte)
(Exposition)

Überleitung	neuer Zust.	Konflikt	Überleitung	neuer Zust.	Konflikt
1	2	3	4	5	6

Dieselbe Symmetrie zeigt sich deutlich in den Proportionen der erzählten Zeit. Gemäß der zwischen Darstellung und Bericht wechselnden Folge der Erzählweisen (vgl. 37) wird abwechselnd nach Stunden und Monaten gezählt, so daß von hier aus eine Einteilung leicht erfolgen kann. Es ergeben sich folgende Perioden:

1–2 Std.	(A 9–47)	24 Std.	(A 112–160)
2^1/$_2$ Mon.	(A 48–61)	1–2 Mon.	(A 160–177 f.)
5–6 Std.	A 61–111)	11–12 Std.	(A 177 f.–233)[18]

Das Verhältnis der Zeitproportionen zur Kapitelgliederung mag noch die folgende Skizze veranschaulichen[19]:

Kapitel:	1	2	3	4	5	6
Perioden:	1–2 Std.	2^1/$_2$ Mon.	5–6 Std.	24 Std.	1–2 Mon.	11–12 Std.

---

[18] Hierzu wurden folgende Angaben verwendet: *Sie konnten es nicht begreifen, daß Karl über zwei Monate in New York gewesen war* (A 126). „*Englisch habe ich erst in Amerika in zweieinhalb Monaten erlernt*« (A 151). *der Onkel, er war in der Abenddämmerung des Zimmers kaum zu erkennen* (A 61). *In diesem Augenblick erklangen zwölf Glockenschläge* (A 105). *Das Ticken der Wanduhr ...*, *die schon fast halb zwölf zeigte* (A 148). *Karl mochte etwa einen Monat in Ramses gewesen sein* (A 177). „*Ich diene schon zwei Monate*« (A 196). *Gegen Mitternacht hatte er eine kleine Abwechslung* (A 179). *die Uhr schlug ... halb sieben* (A 214).

[19] Uyttersprot (S. 73) gibt eine Übersicht in Form eines Schemas:

Kapitel:	1	2	3	4	5	6	7		Lücke	8	Lücke	Tod?
Zeit:	2^1/$_2$ Mon.		2 Tage	2 Mon.					4 Mon.			?

Auf S. 70 hatte Uyttersprot für Kapitel 4 die Dauer von „einer Nacht" und „einem Tag" richtig angegeben. Hier dagegen, auf S. 73, erscheint jetzt die Angabe „zwei Tage", wobei graphisch unklar ist, ob sie sich auf Kapitel 4 allein, oder auf die Kapitel 4 und 5 zusammen bezieht. Zutreffend ist sie in keinem Falle. Unrichtig ist auch die Zeitangabe für die Kapitel 6 und 7: weder das sechste Kapitel noch das (sog.) siebente, noch beide zusammen erzählen ein Geschehen von zwei Monaten Dauer. Tatsächlich sind es weniger als 24 Stunden.

Die obige Gliederung rechtfertigt sich nicht zuletzt durch das Manuskript selbst. Das von Brod schon im »Nachwort zur Dritten Ausgabe« (A 361) erwähnte Kapitelschema Kafkas „auf dem Vorsatzpapier zum zweiten Heft" (mit Tinte diagonal gestrichen) zeigt die folgende Anordnung:

1. Heizer	(56) 1	56
2. Onkel	(80) 56	24
3. Ein Landhaus bei New York	80	55
4. Weg nach Ramses	135	38[20])
5. Hotel occidental	178	34
6. Der Fall Robinson	215	

(Einzelne Streichungen hier in Klammern.) Die Zahlen nach dem Titel bezeichnen jeweils die Kapitelgrenzen mittels Pagination (linke Spalte), sowie den Kapitelumfang (rechte Spalte). Der Absatz zwischen den Kapitelgruppen 1—3 und 4—6 ist im Original deutlich sichtbar. Auch im innern des Manuskripts findet sich an der entsprechenden Stelle ein auffälliger, besonders großer Absatz, der als kompositorisches Merkmal sicherlich zu werten ist[21].

15. Zur Textanordnung des unvollendeten (zweiten) Teils

„Einteilung und Namen" — so bemerkt Max Brod im Nachwort zur ersten Ausgabe — „hat Kafka nur für die ersten sechs Kapitel festgesetzt" (A 357). — Allerdings liegen über den Schluß des sechsten Kapitels »Der Fall Robin-

---

[20] Kafkas Angabe des Umfangs ist für Kapitel 4 nicht korrekt; sie müßte, nach Maßgabe seiner eigenen Paginierung, nicht 38 sondern 43 lauten. — Dasselbe Vorsatzblatt trägt auf seiner Vorder- und Rückseite Berechnungen von Kafkas Hand. Diejenigen auf der Rückseite (Addition und Subtraktion) beziehen sich eindeutig auf den im Schema angegebenen Umfang.

[21] Dennoch behauptet Hermsdorf, „daß die Teile des Romans sich nicht aus planender künstlerischer Absicht ergeben haben und nicht notwendig zur ursprünglichen Anlage gehören"; die Einteilung sei „ohne bewußten künstlerischen Bauwillen des Dichters zustande gekommen" (Kafka, S. 75). Zwar sei „variierende Wiederholung desselben das deutlichste und wichtigste Kompositionsgesetz„ des „Verschollenen" (S. 80). Dies bedeute jedoch „Gleichförmigkeit des Inhalts" (S. 225), „Unordnung", ja den „Zusammenbruch einer das Ganze des Werks umfassenden Komposition" (S. 221). „Gerade von der Komposition aus werde „die effektive inhaltliche Armut des Kafkaschen Romans sichtbar" (S. 81). — Hillmann vertritt dagegen die These, es sei „Desinteresse an rein ästhetischer Gestaltungsweise, die Kafkas Romane hat Fragment bleiben lassen" (S. 188).

son« keinerlei authentische Angaben vor; die von Brod gesetzte Grenze (nach A 233) läßt sich nur sachlich rechtfertigen. Wenn also Brods Kapitelgrenze in diesem Fall mit großer Wahrscheinlichkeit der Intention Kafkas entspricht, so muß seine Anordnung der folgenden, fragmentarischen Textpartien jedoch mit Skepsis betrachtet werden. Die nächste Grenze setzt Brod an das Ende jener Szene, in der Karl Roßmann nach der nächtlichen Begegnung mit dem Studenten Mendel in den Schlaf sinkt (A 304). Das so gewonnene Textstück betrachtet Brod als abgeschlossene Kapiteleinheit und verleiht ihm den Namen »Ein Asyl«. Obgleich Kafka an dieser Stelle lückenlos weitererzählt – Karl wacht am Vormittag des folgenden Tags wieder auf – unterbricht dennoch Brod den natürlichen Zusammenhang der Handlung, um hier das von ihm selbst so genannte „Naturtheater von Oklahoma" anzufügen (A 305). Die Fortsetzung des »Asyls« wird sodann im „Anhang" unter der irreführenden Bezeichnung »Fragment I« nachgetragen (A 335). Dieses Verfahren läßt sich weder durch handschriftliche Indizien[22], noch vom Inhalt her rechtfertigen. Vielmehr ist Brods sogenanntes »Fragment I« die unmittelbare Fortsetzung der nach A 304 abgebrochenen Erzählung: Karl, der spät in der Nacht in Bruneldas Zimmer eingeschlafen ist, wird dort am späten Vormittag des folgenden Tages wieder geweckt. Allein aus den Zeitangaben geht das klar hervor:

1. *Robinson . . . zeigte . . ., wie er sich heute noch zum letztenmal für Karl plage, der natürlich am ersten Morgen von den Einzelheiten des Dienstes nichts verstehen konnte* (A 335).
2. *Karl, der erst gestern eingetreten war* (A 342).
3. *eine der Frauen, die Karl gestern auf dem Korridor gesehen hatte* (A 343; vgl. A 250 f.).

Erst nach der Schilderung des Frühstücks, mit den Worten: *Brunelda nickte Delamarche befriedigt zu und reichte Karl zum Lohn eine Handvoll Keks* (A 348) bricht die Handlung zum erstenmal wirklich ab. Hier also befindet sich das Ende jenes großen, von Kafka weder benannten noch gegliederten Textstücks, das mit Karls Ankunft vor dem Hause Bruneldas wahrscheinlich beginnt (A 234). Ob und wie Kafka diese große Textpartie in Kapitel eingeteilt haben würde, darüber liefert das Manuskript keine, der Inhalt nur allzu vage Indizien. Auf eine willkürliche Einteilung – wie diejenige Brods – sollte man daher verzichten.

---

[22] Kafka hat sein Manuskript bis in das sog. I. Fragment hinein sporadisch, aber fortlaufend paginiert, woraus die Kontinuität des Texts bis dorthin klar hervorgeht (vgl. 49).

Das in dem knappen Textstück »Ausreise Bruneldas« überlieferte Geschehen setzt nach einer beträchtlichen Handlungslücke wieder ein und wird, nach vollzogener Überführung Bruneldas in das *Unternehmen Nummer 25*, abermals abgebrochen. Mithin ist die »Ausreise« ein wirkliches Fragment, das Brod nicht ganz zu Unrecht in den Anhang verwiesen hat. Dennoch wäre eine chronologische Anordnung auch dieses Textstücks bei weitem vorzuziehen, da es dem Leser Aufschlüsse über Karl Roßmanns weiteres Schicksal vermittelt.

16. Zum Inhalt des unvollendeten (zweiten) Teils

Vom Kanzleileiter des *großen Theaters* nach seinem Namen gefragt, nennt Karl Roßmann *den Rufnamen aus seinen letzten Stellungen: „Negro"* (A 318). Ein solcher Name wird vorher nicht genannt, Brunelda nennt Karl immer nur *den Kleinen* (A 282, 284, 287). Daß Karl von seiner Dienstherrin später so gerufen wird, ist sehr wohl denkbar, ebenso, daß Karl den Namen *Negro* in seiner nächsten Stellung – dem *Unternehmen Nummer 25* – beibehält. Karls bürgerlicher Name hat, zumal nach dem Verlust seiner Ausweispapiere (A 239), in keiner dieser *Stellungen* eine legitime Geltung; in der letzten Stellung, deren er sich besonders schämte, hat er ihn sogar verschwiegen (A 318).

Man erinnere sich, daß Karl – obschon halb im Dienste Bruneldas – als *Geschäftsdiener* in einem Büro unterzukommen hoffte (A 303). Dieser Wunsch scheint sich später auch erfüllt zu haben, denn auf die Frage eines Theaterbeamten: *„Wo waren Sie zuletzt angestellt?"* antwortet Karl: *„In einem Büro." / Das war noch die Wahrheit, würde aber der Herr eine nähere Auskunft über die Art des Büros verlangen, so mußte er lügen* (A 322). Daß jenes unaussprechliche Büro ein Teil des *Unternehmens Nummer 25* sein muß, kann hiernach kaum bezweifelt werden. Das für Bruneldas Einweisung nötige *Schriftstück* (A 352), der auf Pünktlichkeit bedachte Verwalter (A 354) machen die Existenz eines Büros, für das Karl als Geschäftsdiener bereits arbeitet, gerade dort plausibel[23].

Als Ergebnis sei festgehalten, daß Karl Roßmann zwischen seiner Entlassung aus dem Hotel und der Bewerbung beim *großen Theater* z w e i Schicksalsstationen (sprich *Stellungen*) durchläuft, nämlich erstens bei Bru-

---

[23] vgl. Kafkas Reisetagebuch, Paris, September 1911: *Rationell eingerichtete Bordelle* (T 640).

nelda und zweitens beim *Unternehmen Nummer 25*. Der durch diese beiden Milieusphären repräsentierte, wenn auch nicht ganz ausgeführte Handlungskomplex sei vorläufig als zweiter, unvollendeter Teil des Romanganzen hier bezeichnet[24].

Geht man davon aus, daß trotz der beiden beträchtlichen Lücken eine einheitliche Grundkonzeption vorliegt, so darf die Frage nach dem mutmaßlichen Inhalt der fehlenden Partien gestellt werden. Wie bemerkt, ist Karl Roßmann nach seinem nächtlichen Gespräch mit dem Studenten Mendel entschlossen, den Dienst bei Brunelda anzutreten: *hier zu bleiben, hatte er vorläufig keine Bedenken* (A 303). Schon am nächsten Morgen übt er verschiedene Dienstleistungen (Bad, Frühstück) zur weitgehenden Zufriedenheit seiner Herrschaft aus. Dennoch hofft Karl, später einmal eine respektablere Arbeit zu finden: *Die Hoffnung aber, einen Posten zu finden, in dem er etwas leisten und für seine Leistungen anerkannt werden könnte, war gewiß größer, wenn er vorläufig die Dienerstelle bei Delamarche annahm und aus dieser Sicherheit heraus eine günstige Gelegenheit abwartete* (A 303). Bruneldas Haushalt sieht ihm *wirklich nicht danach aus, als sei er für die Ewigkeit gemacht* (A 303 f.). Dieser Verdacht wird durch ein späteres Gespräch mit Robinson über die Vermieterin (oder Hausverwalterin) noch bestätigt. Robinson: *„Wir sind nämlich von ihr abhängig. Wir haben unser Zimmer von ihr gemietet, und sie kann uns natürlich jeden Augenblick kündigen"* (A 343). Die feindliche Haltung dieser Frau legt eine spätere Kündigung und Auflösung des Brunelda-Haushalts sehr nahe. Die Folgen dieser bei Bruneldas Ausreise offenbar schon vollzogenen Kündigung müssen für alle Betroffenen erheblich sein. Robinson: *„Aber wir können doch nicht die Wohnung wechseln, wie sollen wir dann wieder alle die Sachen wegschaffen, und vor allem ist doch Brunelda nicht transportabel."* Karl: *«Und hier auf dem Gang ist kein anderes Zimmer zu bekommen?»* Robinson: *„Es nimmt uns ja niemand auf ... Im ganzen Haus nimmt uns niemand auf"* (A 343 f.). Durch die Kündigung wäre das Verschwinden Delamarches und Robinsons — sie werden im »Ausreise«-Fragment nicht mehr erwähnt — leicht zu erklären, zugleich auch die Trennung der beiden von Brunelda, da diese in der Tat nur schwer transportable Frau eben nicht mitgenommen werden kann. Daß die für sich allein völlig Hilflose sich jetzt in einem Bordell verdingt, ist nach Charakter und Situation nur folgerichtig. Wie die »Ausreise« verrät, ist Brunelda bereits vor ihrem Auszug Ange-

---

[24] Zur Sonderstellung des letzten Kapitels s. 49.

hörige des *Unternehmens Nummer 25* und kann sich unterwegs durch ein entsprechendes *Schriftstück* vor der Polizei ausweisen (A 352).

Zugleich mit dem Berufswechsel Bruneldas hat auch der zunächst wieder stellungslos gewordene Karl einen neuen und vorläufig letzten Arbeitsplatz gefunden. Noch bevor er mit Brunelda das bisherige „Asyl" verläßt, ist er als Geschäftsdiener des „Unternehmens" bereits tätig. Seine Hoffnung, dereinst Geschäftsdiener zu werden (A 303), hat sich somit, wenn auch unter den bedenklichsten Vorzeichen, erfüllt.

Über Karls weiteres Schicksal im *Unternehmen Nummer 25* gibt wiederum ein Passus des letzten Kapitels nachträglich Auskunft. Als ihn der *Führer der zehnten Werbetruppe des Theaters von Oklahoma* fragt, ob er mit jener letzten Stellung zufrieden gewesen sei, verneint Karl heftig: *„Nein!" rief Karl, ihm fast in die Rede fallend ... es war zu verlockend gewesen, das Nein hinauszuschreien, denn während seiner ganzen letzten Dienstzeit hatte er nur den größten Wunsch gehabt, irgendein fremder Dienstgeber möge einmal eintreten und diese Frage an ihn richten* (A 322). Daß also Karl auf Grund ungerechter Behandlung jene letzte Arbeitsstätte verliert, steht damit außer Zweifel. So sehen wir ihn auch zu Beginn des letzten Kapitels als endgültig Gescheiterten wieder auf der Straße, wo er seine letzten Pfennige überzählt. Was dort, im Bereich des *großen Theaters* allerdings bevorsteht, liegt so sehr außerhalb aller bisherigen Realität, daß eine gesonderte Betrachtung unumgänglich sein wird (s. 47–53).

17. ANALOGIE BEIDER TEILE

Vergleicht man die beiden nicht ausgeführten Handlungskomplexe des zweiten Teils – das Geschehen bei Brunelda (a) und im *Unternehmen Nummer 25* (b) – so treten gewisse Parallelen hervor, wie sie schon am ersten Teil (in den Kapiteln 1–3 und 4–6) deutlich geworden sind (vgl. 14). Jeweils am Beginn beider Perioden steht ein überleitender Abschnitt, der den Wechsel von einem Milieu ins andere vollzieht, und zwar (a) vom Hotel Occidental zur Wohnung Bruneldas (A 234–252) und (b) von dort zum *Unternehmen Nummer 25* (A 349–355). Am Ende beider Perioden muß jeweils ein Konflikt stattfinden, er führt wahrscheinlich (a) zur Kündigung des Appartements und (b) zur Entlassung Karls aus dem *Unternehmen*.

Die Ursachen beider Konflikte sind freilich unbekannt, doch gibt eine merkwürdige Szene im Treppenflur des Hauses der Brunelda vielleicht einen

Anhalt. Dort *waren zwei Frauen auf den Korridor getreten, sie wischten die Hände an ihren Schürzen rein ... Aus einer Tür sprang ein noch ganz junges Mädchen ... und schmiegte sich zwischen die zwei Frauen, indem es sich in ihre Arme einhängte* (A 250 f.). Eine der Frauen ist die Wohnungsvermieterin, der Karl später in der Küche wiederbegegnet (A 343), das ganz junge Mädchen wahrscheinlich ihre Tochter, von der dort die Rede ist. Sie hilft ihrer Mutter für gewöhnlich bei den Küchenarbeiten aus. Nicht nur ihr Typus ist aus früheren Episoden bekannt — das hexenhafte Dienstmädchen der Familie Roßmann (A 37), das Mädchen aus der Schiffsküche, das den Heizer verrät (A 18) — bekannt sind auch die sich hier wiederholenden Assoziationen von Unreinheit (Schürze) und Küchendunst. Karl will sich dem Mädchen nähern, wird aber von Delamarche daran gehindert. Hier also scheint der kausale Ansatz des späteren Konflikts hervorzutreten. Das laute Auflachen des Mädchens, Delamarches Worte *„Das sind widerliche Weiber"* oder *„Roßmann, hüte dich!"* (A 251) unterstreichen die weiterführende Bedeutung des Motivs[25].

Das Fragment »Ausreise Bruneldas« bietet in seiner Kürze kaum Indizien für einen späteren Konflikt. Erwähnt sei aber, daß gerade dort das schon von früher her bekannte Fruchtsymbol in grotesker Variante wiedererscheint: *„Was hast du denn unter dem Tuch?"* fragt ein Fremder, der Karl beim Transport der zugedeckten Brunelda beobachtet. *„Es sind Äpfel",* (A 353) antwortet Karl[26]. Das Thema des „Mythos" scheint hier, wenn auch in merklicher Ironie, ein letztes Mal angedeutet.

Nach allem darf es durchaus für wahrscheinlich gelten, daß der Dichter auch im zweiten, nicht vollendeten Teil seines Romans — entsprechend den beiden Schauplätzen — zwei weitere Durchführungen seines Themas ursprünglich geplant hat. — Je entschiedener aber Kafka an der Identität und Wiederkehr des „Mythos" festhält, desto bedeutender werden die Funktionen der mehrfach wechselnden Milieus für die kompositorische Gliede-

---

[25] Ein weiteres Indiz hierfür liefert eine nur in der amerikanischen Ausgabe der Tagebücher (übersetzt) veröffentlichte Aufzeichnung Kafkas (Diaries II, S. 47) vom Juni 1914. Sie ist mehr als eine halbe Druckseite lang und gehört zum Motivkreis des »Verschollenen«: Der Student Kosel (offenbar identisch mit dem Werkstudenten Mendel), aus dessen Perspektive die Situation beschrieben ist, sitzt am Schreibtisch. Von dort aus erblickt er hinter einem gegenüberliegenden, nur wenige Meter entfernten Küchenfenster ein Mädchen; sie bügelt Kleider und schaut währenddessen oft zu K a r l hinüber.

[26] vgl. Politzer, S. 227.

rung des Ganzen. Wenn auch nicht die Handlung, so sind doch jene Milieus zumindest in ihren Grundzügen so gut wie vollständig überliefert. Zusammengefaßt sind es für den ersten Teil (a) die Umgebung des Onkels, (b) des Hotels, für den zweiten Teil (a) die Wohnung Bruneldas und (b) das *Unternehmen Nummer 25*:

(a) Onkel	Erster Teil	(b) Hotel
Kapitel 1–3		Kapitel 4–6
(a) Brunelda	Zweiter Teil	(b) Untern. Nr. 25
S. 234–304 + 335 ff.[27])		S. 349 ff.

Eine solche Aufstellung genügt, um den tragisch konsequenten Fall der Handlung anschaulich zu machen. Es entsteht das Bild eines steten, stufenweise sich vollziehenden Abstiegs, der – so bezeugt es der Dichter selbst – mit dem Scheitern des verschollenen Helden endigt (T 481). Wie man sieht, treten an die Stelle der beiden bürgerlichen Sozialsphären, denen Karl innerhalb der ersten sechs Kapitel zugehört, später außerbürgerliche, asoziale Milieus. Von hier aus läßt sich die bisher nur postulierte Scheidung in einen ersten und zweiten Teil ohne weiteres rechtfertigen[28].

Zugleich mit dem Überwechseln des Helden in die niedere, außerbürgerliche Umgebung häufen sich die komischen Darstellungselemente (vgl. 27). Schon einmal, nach seiner Verstoßung durch den Onkel, ist Karl mit asozialen Typen in Berührung gekommen. Demgemäß hat sich dort vorübergehend das komische Element mit der Gestalt Robinsons in die Handlung eingeführt. Nach seiner Entlassung aus dem Hotel gehört Karl endgültig jener unteren Sphäre an. – Auch Charles Dickens, den sich Kafka im »Verschollenen« (wenn auch vielleicht unbewußt) zum Vorbild genommen hat (T 535 f.), gebraucht gerade in seinen krassesten Schilderungen asozialer Milieus komische Mittel mit Vorliebe. So ist etwa in »Oliver Twist« das Londoner Gaunermilieu besonders reich an komischen Elementen. Auch in »David Copperfield« ist der verarmte Mr. Micawber, der mit seiner ganzen

---

[27] Diese Fortsetzung des Brunelda-Kapitels (= A 335 ff.), das sog. »Fragment I« betrachtet offenbar auch Uyttersprot (wie Brod) zu unrecht als wirkliches Fragment. Überhaupt schenkt er der Stellung dieser Textpartie, sowie der »Ausreise Bruneldas« innerhalb des Ganzen kaum Beachtung (vgl. 14, Anm. 3).

[28] Hermsdorfs These vom durch „Gleichförmigkeit des Inhalts begründeten Verlust an wirklicher kompositorischer Einheit" (Kafka, S. 225) scheint mir daher eben so unhaltbar wie jene von der „unabsehbaren Fortsetzbarkeit" (S. 221).

29

Familie zeitweilig im Schuldgefängnis lebt, besonders komisch dargestellt, nicht aber die reichen Familien Steerforth, Spenlow oder Wickfield. Fast scheint es, als sei bei Dickens noch ein Überrest der alten Ständeklausel des Dramas früherer Epochen wirksam gewesen. Von hier ausgehende Anregungen auf den »Verschollenen« sind nicht unwahrscheinlich, zumal auch sonst gewisse Motivbeziehungen bestehen (s. 69).

Das außerbürgerliche oder gar asoziale Milieu um den Mittelpunkt der Brunelda ist nicht „klassenbewußt", sondern deutlich als abgesunkenes, verzerrtes Bourgeois-Milieu kenntlich. So führt denn Brunelda im Grunde den alten, aufwendigen Lebensstil weiter, wie ehedem an der Seite ihres kapitalistischen Gatten, des Kakaofabrikanten, hält eine Art Dienerschaft, braucht umständliche Pflege und will sogar ein Verzeichnis ihrer Besitztümer anfertigen lassen (A 273). Delamarche und Robinson dagegen sind von unten aufgestiegen und befleißigen sich erst jetzt „feiner" Manieren. Während sich aber Delamarche echt anpaßt, bleibt bei Robinson alles Nachäffung. Bezeichnend hierfür ist nicht nur seine Kleidung − er trägt *das Feinste vom Feinen* (A 268) − sondern vor allem jene höchst komische Szene, in der er ein vollständiges, aus mehreren Gängen bestehendes Menü mit Vorspeise, Hauptgericht, Zubrot, Getränk und Nachtisch genießt, das schließlich durch eine Zigarette gekrönt wird:

... sagte Robinson, während er Sardine nach Sardine hinunterschlang und hie und da die Hände vom Öl an einem Wolltuch reinigte (A 257)

... sagte Robinson, zog einen Dolch, den er an einer Halsschnur trug, unter dem Hemd hervor, nahm die Dolchkappe ab und zerschnitt die harte Wurst (A 258)

... fragte Robinson, der das Weiche aus dem Brot herausgeschnitten hatte und sorgfältig in dem Öl der Sardinenbüchse tränkte (A 260)

... sagte Robinson, der mit möglichst weit geöffnetem Munde das fette Brot verspeiste, während er mit einer Hand das vom Brot herabtropfende Öl auffing, um von Zeit zu Zeit das noch übrige Brot in diese, als Reservoir dienende, hohle Hand zu tauchen (A 260)

... sagte Robinson ... und nahm einen langen Zug aus der Parfümflasche (261)

... antwortete Robinson, der eine große Bonbonmasse auf der Zunge wälzte und hie und da ein Stück, das aus dem Mund gedrängt wurde, mit dem Finger wieder zurückdrückte (A 263)

... seufzte Robinson, zündete sich eine Zigarette an und blies unter großen Armschwenkungen den Rauch in die Höhe (A 265).

Man darf auf Grund des Fragments »Ausreise Bruneldas« vermuten, daß sich eine solche Travestie bürgerlicher Gebräuche bis in die folgenden, ungeschriebenen Partien hinein hätte fortsetzen sollen. In der Tat scheinen die sozialen Zustände im *Unternehmen Nummer 25* (wohlgemerkt einem Bordell) jenen des Hotels *Occidental* ähnlich zu sein. Beide Unternehmen betreiben ja die Ausbeutung ihrer Angestellten, beide sind pedantisch organisiert. Man denke nur daran, wie sehr sich der Oberportier und der Verwalter des *Unternehmens* ihrem Gehabe nach ähneln. Als Karl ein wenig verspätet die Loge des Oberportiers betritt, reagiert dieser wie folgt: *„Das soll eine Viertelminute gewesen sein"*, *sagte er und sah Karl von der Seite an, als beobachte er eine schlechtgehende Uhr* (A 220). Am Tor des *Unternehmens* entsteht fast die gleiche Situation: *Vor der Tür stand der schielende Verwalter mit der Uhr in der Hand. „Bist du immer so unpünktlich?"* *fragte er. „Es gab verschiedene Hindernisse", sagte Karl. „Die gibt es bekanntlich immer", sagte der Verwalter. „Hier im Hause gelten sie aber nicht. Merk dir das!"* (A 354 f.). — So makaber die Vorstellung eines derartigen Unternehmens, zumal wenn es bürokratisch wie ein großes Hotel organisiert ist, auch anmutet, man sollte sie sich bewußt machen, um die Parallelität der beiden großen Teile des Romans in den Blick zu bekommen. So gesehen nämlich erscheint der zweite Teil als die grotesk verzerrte Spiegelung des ersten, als eine Travestie bürgerlicher Konventionen in die Sphäre des Asozialen.

TEIL II

VISUALITÄT

18. Visualität des Stils

Ein großer Teil der besonderen, stark suggestiven Wirkung, die von Kafkas frühestem Romanversuch ausgeht, gründet sich auf einfache, doch bisher kaum berührte Tatsache: Kafka erzählt in so hohem Maße visuell, daß jede reflektierende Vermittlung durch den Erzähler, ja alles nur gedanklich Ausgesagte überhaupt hinter der zwingenden Kraft des Sichtbaren verschwindet[29]. Der Leser des »Verschollenen« ist daher in erster Linie Betrachter, ähnlich dem Zuschauer im Kino früherer Jahrzehnte, dessen Bewußtsein durch die Fülle des sichtbar Wahrgenommenen so gut wie völlig eingenommen wird.

Diese hier näher zu untersuchende Visualität des Stils kann als Ergebnis zweier zusammenwirkender Voraussetzungen verstanden werden. Sie beruht zum ersten auf Kafkas Festhalten an der subjektiven Erlebnisperspektive, d. h. auf dem Prinzip, gänzlich aus dem − stets eingeengten − Blickwinkel eines einzigen Helden heraus zu erzählen (vgl. 3). Soll dies folgerecht geschehen, so muß der subjektive Charaktertypus des Helden in der besonderen Weise des Erzählens − im Stil − seine objektive Ausprägung erhalten. Da nun Karl Roßmann, anders als die erwachsenen Kafka'schen Helden, einen wenig reflektierenden, vor allem visuell auffassenden Typus verkörpert (vgl. 55), so ist die zweite Voraussetzung für den folgerichtig visuellen Erzählstil im »Verschollenen« damit gegeben. Kafka selbst soll auf eine Frage Gustav Janouchs nach der Figur des Karl Roßmann einmal gesagt haben: „Ich erzählte eine Geschichte, das sind Bilder, nur Bilder ..."[30].

---

[29] Hinweise auf den visuellen Stil Kafkas bereits bei Martini: „Kafkas Erzählen lebt aus einer starken, aus dem Innern aufsteigenden, aber an realen Beobachtungen orientierten Bildlichkeit« (Wagnis der Sprache, S. 306).

[30] Janouch, S. 25.

32

19. Subjektivität der Bilder

Fragt man nach der subjektiven Bedeutung bestimmter Bildelemente im Roman, nach ihrem inneren Erlebnis- und Stimmungsgehalt, so sei nochmals erinnert, daß Kafka die Welt nicht wie der klassische Erzähler als an sich bestehende Einrichtung zu schildern pflegt, sondern als die Abfolge subjektiver Wahrnehmungen und Erfahrungen eines einzigen, zentralen Individuums. Daraus folgt, daß zwischen jedem Objekt der erzählten „äußeren" und der subjektiven, inneren Welt des Helden eine natürliche, untrennbare Beziehung bestehen muß, eine Beziehung, wie man sie ähnlich in der subjektivsten Gattung der Poesie, der Lyrik, von jeher anerkennt.

So befremdlich dieser Vergleich scheinen mag: auch und besonders im »Verschollenen« sind alle sichtbaren Elemente der Erzählung – alle Bilder-Korrelate zu subjektiven, innerseelischen Erlebniszuständen Karl Roßmanns. Das *traumhafte innere Leben* (T 420) des Dichters und seines Helden, die beide im Roman zum erlebenden Subjekt verschmelzen, läßt sich nicht als solches, sondern allein mittelbar, auf dem Wege über die möglichst präzise Beschreibung der sichtbaren *äußeren* Welt erzählerisch fixieren[31]. Nur noch hierin besteht die Aufgabe des Erzählers und längst nicht mehr in der psychologisch reflektierenden Gefühlsanalyse, die Kafka stets mit Skepsis betrachtet hat. Er schafft damit gleichsam eine neue poetische Naivität des Erzählens, neue Möglichkeiten epischer Bezauberung, wie sie zu seiner Zeit vielleicht nur im Märchen, am wenigsten aber von der ganz und gar literarisch gewordenen Gattung des Romans erwartet werden durften. Vielleicht ist das Verkennen dieser Tatsache der Grund für das bisherige Unvermögen der Kritik, der hohen dichterischen Qualität des »Verschollenen« wirklich gerecht zu werden.

Es ist allerdings nicht leicht, die stets vorwaltende apriorische Beziehung des erzählten Bildes zum Empfindungsbereich des Helden von Fall zu Fall darzulegen, denn sie wird erst wirksam durch den Zusammenhang mit dem Ganzen, durch die lebendige Situation, die die Erzählung vorbereitend geschaffen hat. Im Landhause Pollunders z. B. tritt Karl, von Klara geführt, in das für ihn bestimmte Zimmer ein. Als dies geschieht hat sich bereits vieles Unbewußte in ihm angesammelt, seine Sensibilität ist infolge der vorangegangenen seltsamen Erlebnisse stärker geworden. Das Unheimliche des Hauses, der bedrohliche Herr Green, die undurschaubare Klara, ferner

---

[31] *Es gibt keine Beobachtung der innern Welt, so wie es eine der äußern gibt ... Die innere Welt läßt sich nur leben, nicht beschreiben* (H 72).

die immer deutlicher werdende Ahnung, den Onkel zu verlieren, alles das scheint in der Wahrnehmung unbestimmter Konturen und Geräusche einer fremden, geheimnisvollen Landschaft als Komplex von Empfindungen enthalten zu sein:

Ein überraschendes Dunkel vor dem Fenster erklärte sich durch einen Baumwipfel, der sich dort in seinem vollen Umfang wiegte. Man hörte Vogelgesang. Im Zimmer selbst, das vom Mondlicht noch nicht erreicht war, konnte man allerdings fast gar nichts unterscheiden ... Er setzte sich aufs Fensterbrett und sah und horchte hinaus. Ein aufgestörter Vogel schien sich durch das Laubwerk des alten Baumes zu drängen. Die Pfeife eines New Yorker Vorortzuges erklang irgendwo im Land. Sonst war es still (A 78 f.).

Das Schlußbild desselben Kapitels ist im Äußeren fast ähnlich und dennoch von ganz anderem Ausdruckswert. Es erscheint in dem Augenblick, da Karl vom Onkel unwiderruflich verstoßen und von Green buchstäblich aus dem Hause geschoben worden ist. Trotz der verzweifelten Situation wird über Karls Empfindungen nicht das geringste berichtet, und es scheint geradezu eine Leere in seinem Bewußtsein zu herrschen. In diese scheinbare Leere fällt nun die Wahrnehmung der Außenwelt:

Karl stand erstaunt im Freien. Eine an das Haus angebaute Treppe ohne Geländer führte vor ihm hinab. Er mußte nur hinuntergehen und dann sich ein wenig rechts zur Allee wenden, die auf die Landstraße führte. In dem hellen Mondschein konnte man sich gar nicht verirren. Unten im Garten hörte er das vielfache Bellen von Hunden, die, losgelassen, ringsherum im Dunkel der Bäume liefen. Man hörte in der sonstigen Stille ganz genau, wie sie nach ihren großen Sprüngen ins Gras schlugen (A 111). Karls Verlorenheit und Verzweiflung ist allein − objektiv − im Bilde enthalten: die sich gleichsam anbietende, in ungewisse Fernen führende Landstraße, die inzwischen losgelassenen feindseligen Hunde − das alles spricht nicht nur deutlicher als jede Zergliederung des Gefühls: die Sachlichkeit der Beschreibung macht es sogar möglich, daß der Widerschein der Empfindungen Karls auch im Leser selbst, reproduktiv entsteht.

Die Frage, ob die im »Verschollenen« besonders große Fülle bildlicher subjektiver Wahrnehmungen impressionistisch zu nennen sei, mag immerhin gestellt werden. Tatsächlich ist der frühe Kafka nicht gänzlich frei von Beziehungen zur impressionistisch-neuromantischen Tradition, was sich in der lockeren, assoziativ reihenden Art aller möglichen Aufzeichnungen, vor allem der Tagebücher zu verraten scheint, und nicht zu Unrecht hat man auf gewisse Ähnlichkeiten mit der Prosa Robert Walsers hingewiesen. Be-

34

sonders die zwischen 1904 und 1912 entstandenen, später unter dem Titel: »Betrachtung« zusammengefaßten Prosastücke Kafkas – sie enthalten Untertitel wie »Zerstreutes Hinausschaun«, »Die Vorüberlaufenden«, »Kleider«, »Das Gassenfenster« – zeigen Spuren impressionistisch-romantischer Stilhaltung:

Den Mond sah man schon in einiger Höhe, ein Postwagen fuhr in seinem Licht vorbei. Ein schwacher Wind erhob sich allgemein, auch im Graben fühlte man ihn, und in der Nähe fing der Wald zu rauschen an (E 27).

(»Zerstreutes Hinausschaun«:) *Was werden wir in diesen Frühlingstagen tun, die jetzt rasch kommen? Heute früh war der Himmel grau, geht man aber jetzt zum Fenster, so ist man überrascht und lehnt die Wange an die Klinke des Fensters. Unten sieht man das Licht der freilich schon sinkenden Sonne auf dem Gesicht des kindlichen Mädchens, das so geht und sich umschaut, und zugleich sieht man den Schatten des Mannes darauf, der hinter ihm rascher kommt. – Dann ist der Mann schon vorübergegangen und das Gesicht des Kindes ist ganz hell* (E 37 f.).

Manches vom Stil derartiger „Betrachtung" scheint auch im »Verschollenen« noch lebendig, dort freilich stets in deutlich erzählerischer Verdichtung, wie sie durch den strengen, dramatischen Zeitablauf der Ereignisse gefordert wird:

Aller Nebel war schon verschwunden, in der Ferne erglänzte ein hohes Gebirge, das mit welligem Kamm in noch ferneren Sonnendunst führte. An der Seite der Straße lagen schlecht bebaute Felder, die sich um große Fabriken hinzogen, die dunkel angeraucht im freien Lande standen. In den wahllos hingestellten einzelnen Mietskasernen zitterten die vielen Fenster in der mannigfaltigsten Bewegung und Beleuchtung, und auf all den kleinen, schwachen Balkonen hatten Frauen und Kinder vielerlei zu tun, während um sie herum, sie verdeckend und enthüllend, aufgehängte und hingelegte Tücher und Wäschestücke im Morgenwind flatterten und mächtig sich bauschten. Glitten die Blicke von den Häusern ab, dann sah man Lerchen hoch am Himmel fliegen und unten wieder die Schwalben, nicht allzuweit über den Köpfen der Fahrenden (A 124).

Man mag in derartigen Beschreibungen impressionistische Züge sehen wollen oder nicht: wesentlich ist der hier in jedem dinglichen Detail wirksame, subjektive Erlebnisgehalt, auf den der Dichter selbst in einem anschließenden Satz hindeutet: *Vieles erinnerte Karl an seine Heimat und er wußte nicht, ob er gut daran tue, New York zu verlassen und in das Innere des Landes zu gehen* (A 124).

35

Am Schluß des vierten Kapitels trennt sich Karl von seinen beiden Weggefährten, Delamarche und Robinson, in Unfrieden. Während sich die beiden schon langsam entfernen, hofft er noch immer auf ein Zeichen freundlicher Verständigung: *Aber kein Laut antwortete, nur einmal rollte ein Stein den Abhang herab, vielleicht durch Zufall, vielleicht in einem verfehlten Wurf* (A 147). Das Schweigen, der Stein, der feindlich Karl entgegenrollt, sind Ausdruck der Gewissensbeunruhigung und Regung eines kaum bewußten Schuldgefühls.

Inmitten der Vielfalt bildlicher Details erscheint häufig auch die Gebärde als Vermittlerin subjektiver Erlebnissituationen. So wird etwa das naive, menschliche Mitgefühl Karl Roßmanns für den Heizer vor allem in einer Folge von Gebärden lebendig: *Und er ging langsam in solchen Gedanken zum Heizer, zog dessen rechte Hand aus dem Gürtel und hielt sie spielend in der seinen . . . Und Karl zog seine Finger hin und her zwischen den Fingern des Heizers . . . Und nun weinte Karl, während er die Hand des Heizers küßte* (A 43 f.).

Verzweiflung entsteht in einer Situation, als Karl nach seinem gescheiterten Fluchtversuch und nach schwerer Mißhandlung durch Delamarche zur Besinnung kommt. Karl ist verletzt und spürt Schmerzen am ganzen Körper. Am Ende einer Kette von Überlegungen, die er über seine Lage anstellt, erscheint das folgende Bild: *Der Bursche mit der zerfressenen Nase im Torweg fiel ihm ein, und er legte einen Augenblick lang das Gesicht in seine Hände* (A 292). Tiefe Verzweiflung wird hier durch eine einfache Verbindung von Bild und Geste evoziert.

Nur selten und ausnahmsweise rückt der Dichter die Entsprechung zwischen dem äußeren Gebaren Karls und seinem inneren Zustand ins deutliche Bewußtsein. So äußert sich die durch die unerwünschte Anwesenheit Greens gereizte Stimmung Karls in seinem Tischgebaren: *Und es entsprach nur diesem seinen Zustand, daß er einmal ganz unpassend rasch und viel aß und dann wieder für lange Zeit müde Gabel und Messer sinken ließ und der Unbeweglichste der Gesellschaft war, mit dem der Diener, der die Speisen reichte, oft nichts anzufangen wußte* (A 73). —

Als Hinweis auf die subjektive, meist irrationale Beziehung der Bildelemente zur unbewußten Empfindung sind hier nur wenige Beispiele angeführt. Im Roman ist diese Beziehung aber überall und bis in jeden Winkel hinein wirksam, so daß selbst die scheinbar nebensächlichsten Bilder jedesmal als Träger innerer Empfindungen angesehen werden müssen. Kafka selbst gibt dies im »Verschollenen« einmal zu erkennen. Als Therese, die junge Hotelangestellte, eines Abends Karl ihre schrecklichen Erinnerungen an den Tod ihrer Mutter offenbart hat, heißt es: *Sie hatte ausführlich erzählt, wie es sonst nicht ihre Gewohnheit war, und gerade bei gleichgültigen Stellen, wie bei der Beschreibung der Gerüststangen, die jede für sich allein in den Himmel ragten, hatte sie mit Tränen in den Augen innehalten müssen* (A 176). Gerade diese, für die objektive Aussage der Erzählung in der Tat gleichgültigen Stellen, sind subjektiv von höchster Wesentlichkeit. Die bloße Beschreibung „äußerer" bildlicher Details hat es hier vermocht, stärkste innere Gefühlsspannungen auszulösen. In seinem Urteil über die naive, ganz unreflektierte Erzählweise einer von ihm geschaffenen Gestalt gibt Kafka gleichsam selbst eine deutliche Charakterisierung des eigenen poetisch-visuellen Erzählstils und seiner Wirkung.

20. Das Bild als objektive Aussage

Mit dem Hinweis auf die subjektive, erlebnisbezogene Bedeutung visueller Details hat sich ein für das tiefere Verständnis des »Verschollenen« wesentlicher Aspekt erschlossen. Nicht weniger dringlich indessen bleibt die Frage nach dem o b j e k t i v e n Inhalt jener Bilder, d. h. nach demjenigen, was sie über Situationen und Personen der Handlung, über das Milieu und schließlich über die Idee des Ganzen sachlich auszusagen haben. Wurde mit dem Hinweis auf die Subjektivität des Wahrgenommenen eine gleichsam lyrische Gattungseigenart berührt, so soll die Bilderwelt des Romans nunmehr von ihrer objektiven, dramaturgisch wirksamen Seite her betrachtet werden. An Hand mehrerer Beispiele sei gezeigt, wie weit sich die aus einer Fülle der verschiedensten Bildelemente aufgebaute Umwelt des Helden als ein Kontinuum wechselseitig bezogener, „funktionaler" Sachaussagen verstehen läßt[32].

21. Charakterisierende Aussagen: Räume

Sachlich-funktionale Aussagen sind meist schon in der Beziehung eines Bildraums auf die ihm zugeordnete handelnde Person enthalten. Dies etwa

---

[32] Für die in diesem Teil folgenden Überlegungen vgl. Jahn, Kafka und die Anfänge des Kinos.

gilt für die Kabine des Schiffsheizers: *Durch irgendeine Oberlichtluke fiel ein trübes, oben im Schiff längst abgebrauchtes Licht in die klägliche Kabine, in welcher ein Bett, ein Schrank, ein Sessel und der Mann knapp nebeneinander, wie eingelagert, standen* (A 10). Zwar dient das Bild zunächst auch zur Schaffung eines sichtbaren epischen Raums überhaupt. Sein besonderer Zweck liegt aber in der sehr bestimmten Aussage über den Heizer, der als ein sozial untergeordnetes, unterdrücktes und in seiner Bewegungsfreiheit beengtes Wesen gekennzeichnet werden soll.

Einen entsprechenden Kontrast bildet die Beschreibung eines Raumes in Pollunders Landhaus bei New York. Hier das Schlafzimmer des Playboys und Millionärssohnes Mack, dem eigentlich das ganze Haus gehört:

Er sah dort Mack in einem großen Himmelbett halb liegend sitzen, die Bettdecke war lose über die Beine geworfen. Der Baldachin aus blauer Seide war die einzige, ein wenig mädchenhafte Pracht des sonst einfachen, aus schwerem Holz eckig gezimmerten Bettes. Auf dem Nachttischchen brannte nur eine Kerze, aber die Bettwäsche und Macks Hemd waren so weiß, daß das über sie fallende Kerzenlicht in fast blendendem Widerschein von ihnen strahlte; auch der Baldachin leuchtete, wenigstens am Rande, mit seiner leicht gewellten, nicht ganz festgespannten Seide. Gleich hinter Mack versank aber das Bett und alles in vollständigem Dunkel. Klara lehnte sich an den Bettpfosten und hatte nur noch Augen für Mack (A 104 f.).

Das blendende Weiß, die preziösen Bettattribute deuten auf den Reichtum eines vom Glück verwöhnten Menschen. Statt der elektrischen Lampe brennt aber eine Kerze (das Haus wird umgebaut), und die Bettstatt ist in einem noch unfertigem Zustand, dies gleichsam als optische Entsprechung zur Neuheit des noch immer wachsenden Reichtums. Das Dunkel hinter Mack deutet auf das Geheimnisvolle, für Karl nicht Durchschaubare seiner Person. Durch eine Tür ist Macks Schlafzimmer mit dem Zimmer Klaras verbunden, aber allein Klaras Anwesenheit deckt die hier bestehende Beziehung völlig auf.

Auch die Oberköchin im Hotel Occidental wird durch Beschreibung ihres Zimmers einleuchtend charakterisiert: *Auf einem niedrigen Schrank mit Schiebefächern, über den eine großmaschige wollene Decke gezogen war, standen verschiedene Photographien im Rahmen und unter Glas . . .* (A 154). Hier also ist die bekannte „gute Stube" eines kleinbürgerlichen Haushalts beschrieben, mit „Vertiko", „Kanapee" und gehäkeltem Deckchen — Überbleibseln aus der Alten Welt. Damit ist die Beziehung zur späteren Handlungsweise der Oberköchin hergestellt, die sich ganz im Sinne der scheinbaren Harmlosigkeit, aber oft heuchlerischen Moral jener Klasse verhalten wird und damit Karls Schicksal besiegelt (s. 60).

In die Reihe der Raumbeschreibungen ist auch das Ein-Zimmer-Appartement der Brunelda einzubeziehen. Der Raum, der immerhin vier Personen als Wohnstätte dient, ist mit Hausrat und Möbeln gänzlich vollgestopft und dadurch von lächerlicher Beengtheit: *... außerdem aber trug die Überfüllung des Zimmers mit Möbeln und herumhängenden Kleidern viel zu seiner Verdunkelung bei. Die Luft war dumpf, und man roch geradezu den Staub, der sich hier in Winkeln, die offenbar für jede Hand unzulänglich waren, angesammelt hatte* (A 252). In einer Ecke liegt ein Haufen alter Gardinen, in denen noch Befestigungsringe und Holzleisten stekken. Er dient als Bettstatt für einen der beiden „Diener". Für Brunelda und Delamarche wird ein ähnliches Lager aus alten Kleidern, Teppichen und anderem wegen Platzmangels jeden Abend neu bereitet. Bruneldas Wesen, das ihrer Umgebung unverkennbar seinen Stempel aufdrückt, kann wohl kaum anschaulicher als in einer solchen Beschreibung entstehen.

22. Kleidung und Physiognomie

Als schlechthin funktionales Kostüm spielt die Uniform in Kafkas Beschreibungen eine große Rolle. Als Mittel der Klassifizierung und Bezeichnung der Dienstfunktion ist sie dem Wesen des reglementierten Hotelbetriebs besonders gemäß. Die Liftjungen tragen dort zu anliegenden Hosen viel zu enge Uniformjäckchen, die das Atmen erschweren und die Bewegungen behindern. Der Oberportier dagegen ist üppig uniformiert, seine Gestalt wird im Umriß durch die Uniform vergrößert. Freilich kann auch er sich nicht frei bewegen, infolge der Schwere seiner Kleider, die zur Last seiner Amtspflichten eine optische Beziehung herstellt. Das furchtgebietende Äußere dieses Mannes wird überdies noch durch einen schwarzen, glänzenden Schnurrbart, *so wie ihn Ungarn tragen*, in fast kindlich anschaulicher Weise unterstrichen (A 192).

Den Hauptfiguren wird durch Kleidung und Physiognomie eine gewisse Individualität verliehen. Da ist etwa die in doppeltem Sinne unglückliche Figur Pollunders. Er ist dick und groß, sein Rücken ist gekrümmt, seine Farbe bleich. Die Dicke wird ungesund genannt, der Bauch *weich und unhaltbar*, das Gesicht *geplagt*. Pollunder trägt einen kurz geschnittenen Rock, der kaum bis zu den Hüften reicht. Jede Einzelheit der äußeren Beschreibung enthält somit eine Aussage über die Unzulänglichkeit seiner Person (A 98). – Green ist von Statur noch dicker und größer, aber bei ihm ist es *eine zusammenhängende, sich gegenseitig tragende Dicke*. Green hält seinen Kopf aufrecht, seine Füße *soldatisch zusammengeklappt* (A 98). Damit ist sowohl Greens eigene Funktion wie auch seine Position gegenüber Pollunder nach außen hin anschaulich gemacht.

Die Hauptfiguren des zweiten, unvollendeten Teils sind, außer Brunelda, Delamarche und Robinson. Als schlichter Landstreicher unterscheidet sich Delamarche in seinem Äußeren zunächst kaum von Robinson, denn *schwere Arbeit oder Not hatten ihnen vorzeitig die Knochen aus den Gesichtern vorgetrieben, unordentliche Bärte hingen ihnen ums Kinn, ihr schon lange nicht geschnittenes Haar lag ihnen zerfahren auf dem Kopf, und ihre tiefliegenden Augen rieben und drückten sie nun noch vor Verschlafenheit mit den Fingerknöcheln* (A 115). Als Karl aber Delamarche später wiedersieht, trägt dieser einen viel zu weiten, alten und fleckigen Schlafrock von violetter Farbe. Am Halse bauscht sich eine mächtige, dunkle Krawatte aus schwerer Seide. Dazu trägt er *farbige Unterkleidung*, die von Zeit zu Zeit zum Vorschein kommt (A 237). Noch bevor also über Delamarches neue Funktion etwas bekannt wird, deutet die Kleidung das Bohémienhafte seines neuen Lebensstils sichtbar an. – Auch Robinsons Wesen drückt sich ganz unproblematisch in seiner Kleidung aus. Er ist – seiner untergeordneten Stellung gemäß – kleiner als Delamarche und der Clown der Geschichte. Er neigt zu pantomimischen Späßen und trägt lächerliche Kleidung. Als Landstreicher besitzt er noch nicht einmal ein Hemd unter dem Rock, aber es macht ihm Spaß, wenigstens einen Kragen um den Hals zu tragen (A 119). Als *Diener* Bruneldas dagegen ist er *fein* gekleidet. Sein Kostüm ist bunt zusammengewürfelt und wirkt dadurch im ganzen schäbig. Das Hauptstück, eine neue weiße Weste, besitzt vier kleine, schwarz eingefaßte Täschchen, die aber nur imitiert sind (A 182). Dazu trägt Robinson einen runden harten Hut, nach Art eines englischen „bowler", wie ihn später der berühmte Chaplin in seinen Clownrollen zu tragen pflegte (A 187).

Bei den weiblichen Figuren ist die Funktionalität der Kleidung ebenso auffallend. Klara trägt einen Rock, der den Körper *fest* umschließt, aus *zartem und festem* Stoff (A 75). Ebenfalls *fest* wird ihre Frisur genannt (A 103). Die Kleidung Klaras entspricht ihrem resoluten Auftreten, das sogar in ein wenig Sadismus auszuarten scheint. Jener Beamte, der im Roman »Der Prozeß« Josef K. für verhaftet erklärt, *war schlank und doch fest gebaut, er trug ein anliegendes schwarzes Kleid* (P 9).

Therese dagegen erscheint Karl bei der ersten Begegnung unordentlich angezogen, mit lose aufgesteckten Haaren, wenngleich sie für gewöhnlich korrekt gekleidet ist. Überhaupt wird die Aufmerksamkeit oft auf die Frisur gelenkt und dadurch das Weibliche besonders hervorgehoben. Als Karl die Oberköchin zum ersten Male sieht, *arbeitete sie fortwährend mit einer Haarnadel in ihrer Frisur herum* (A 135).

Als typisch weibliches Kleidungsstück taucht immer wieder die Schürze auf. Sie ist das Zeichen untergeordneter Beschäftigung und Rangstufe. Es scheint fast, als habe Kafka andeuten wollen, eine sittliche Unreinheit werde hier durch ein die Reinlichkeit betonendes Kleidungsstück verdeckt. Nicht nur die Küchenmädchen, unter ihnen die kokette Line, die den Heizer verrät (A 46), nicht nur die Frauen im Hause Bruneldas – von Delamarche *widerlich* genannt – tragen Schürzen (A 251), auch Therese, das ehemalige Küchenmädchen, trägt dieses Abzeichen, was leise Zweifel an ihrer moralischen Integrität wecken muß (A 148).

Brunelda ist durch ihre Kleidung ebenso deutlich charakterisiert wie durch die Beschreibung ihres Zimmers. Ein Blick auf das Äußere genügt, um ihr Wesen zu erfassen. Alles an ihr ist schlampig und unsauber. Sie scheint nur aus Körper zu bestehen, ihr überschwerer Leib beherrscht sie und diktiert ihre Lebensweise in jeder Hinsicht. Die Bildaussage ist hier zu klar, als daß sie in Worte gefaßt werden müßte. Zur roten Färbung ihres Kleides, die zweimal genannt wird (A 236 u. A 252), gesellt sich das Rot eines Sonnenschirms (A 236) und die rötliche Beleuchtung ihres Zimmers (A 288). Dies erinnert wieder an den roten Lampenschirm, den Klara auf dem Weg zu Macks Schlafzimmer in der Hand trägt (A 100).

23. GEBÄRDEN

Zu feinerer und ausdrucksvollerer Charakterisierung gebraucht der Dichter die G e b ä r d e. Sie ist den schon genannten Momenten als Bedeutungsträger überlegen und nimmt daher als funktionales Aussagemoment im »Verschollenen« eine hervorragende Stellung ein[33]. So läßt sich etwa die zielbewußte Überlegenheit des Herrn Green an seinem Gebaren ohne wei-

---

[33] Wie Martini bemerkt, richtet sich Kafkas Beobachtung „vornehmlich auf den Menschen: auf das Gebärdenhaft-Physiognomische an ihm als Zeichen des Innern, auf seine Situationen schaffende mimisch-leibhafte Gestik, auf den ganzen Bereich der bewußten und unbewußten Ausdrucksbewegungen" (Wagnis der Sprache, S. 298).

teres ablesen. Kaltblütig bereitet er sich auf seine Aufgabe vor. Die Glas-
türe des Speisezimmers steht zum Garten hin offen, ein starker Duft weht
herein, . . . *da ging gerade Herr Green unter Schnaufen daran, diese Glas-
türe zuzumachen, bückte sich nach den untersten Riegeln, streckte sich nach
den obersten und alles so jugendlich rasch, daß der herbeieilende Diener
nichts mehr zu tun fand* (A 70). Es entsteht so die deutliche Vorstellung,
daß Green äußere Einflüsse planmäßig ausschaltet und die Falle, in der
er Karl festhalten will, zumacht. Karl selbst spürt etwas davon, und Greens
sportliche Aktivität bereitet ihm größtes Unbehagen. Wie Green in seinen
Vorbereitungen fortfährt und sich für *Kommendes* stärkt, zeigt sich in seinem Essensgebaren. Wiederholt erscheint das Bild Greens beim Essen, das
an ihm als geradezu abstoßender physischer Akt empfunden wird. In der
Fülle der äußerst plastischen Bilder verrät sich Green als widerliches Ungeheuer, als kaum verhohlene, schreckliche Bedrohung Karls, sosehr er auch
vom bloßen Dialog her als zwar vitaler, aber völlig korrekter Geschäfts-
mann erscheinen mag. Durch Beobachtung seines Gebarens kann Karl ihn
instinktiv entlarven, längst bevor er sich selbst zu erkennen gibt.

Zur Überlegenheit Greens kontrastiert die Unterlegenheit Pollunders.
Um seine Position gegenüber Green zu erkennen, braucht Karl ihn bloß
anzusehen: *Pollunder . . . hatte die Hände in den Hosentaschen und stampfte
bloß etwas stärker im Gehen* (A 68). Dies ist eine Gebärde, die schon am
Heizer aufgefallen ist: „*Meine Stelle wird frei*", sagte der Heizer, gab im
Vollbewußtsein dessen die Hände in die Hosentaschen (A 13). Hier wie
dort liegt die gleiche Bedeutung vor: trotziger, aber nutzloser Widerstand
gegen eine stärkere Gewalt. Es ist, als seien die Hände in den Taschen gefesselt. Gleichfalls in Gebärden äußert sich die Wandlung in Pollunders
Verhalten gegenüber Karl. *Herr Pollunder bedeckte den größeren Teil seines Gesichtes mit der Serviette* (A 72). Die Redlichkeit der Worte Karls
zwingt ihn zu dieser deutlichen Geste der Beschämung, die zugleich seinen
feigen Rückzug vor Green mitausdrückt. Pollunders Gebärde wiederholt
sich, als er Karl jene kleine, heuchlerische Rede zu halten beginnt: *er . . .
wischte zur Vorbereitung mit dem Taschentuch über sein Gesicht* (A 96).

24. HANDLUNGSAUSSAGEN: RÄUME

Beispiele für eine unmittelbare Einbeziehung des Bildraums in das
Handlungsgeschehen sind die wiederholt erscheinenden Irrgänge, die der

Held passieren muß, um zu einem erhofften Ziele zu gelangen. Gleich am Anfang der Heizererzählung gerät Karl in ein solches Ganglabyrinth, als er sich bemüht, den im Schiffsinneren vergessenen Schirm wiederzufinden (A 9 f.). Die ständige Raumveränderung, die mit dem Durcheilen der verschiedenen Korridore entsteht, ist ein Bestandteil des dramatischen Geschehens und hat eigene Handlungsfunktion.

Ähnliches gilt für die Irrgänge im Landhaus des Herrn Pollunder. Wiederum hat Karl, genau wie im Schiff, jede Orientierung verloren; er weiß nicht einmal, auf welchem Stockwerk er sich befindet. Obendrein herrscht noch Dunkelheit, die Karl mühsam mit seiner Kerze zu durchdringen sucht. *Da der Gang kein Ende nehmen wollte, nirgends ein Fenster einen Ausblick gab, weder in der Höhe noch in der Tiefe sich etwas rührte, dachte Karl schon, er gehe immerfort im gleichen Kreisgang in der Runde, und hoffte schon, die offene Tür seines Zimmers vielleicht wiederzufinden, aber weder sie noch das Geländer kehrte wieder* (A 86). Eine dramatische Finalität ist hier — wie auch im Heizerkapitel — durch das Wegziel gegeben: Karl strebt zu Pollunder, um dort sein dringendes Anliegen vorzubringen.

Ein drittes Mal werden die schrecklichen Gänge in der Erzählung der Therese erwähnt, als von dem verzweifelten Umherirren von Mutter und Kind durch die nächtlichen Mietskasernen die Rede ist: *Dort . . . durcheilten sie die engen, eisigen Korridore, durchstiegen die hohen Stockwerke, umkreisten die schmalen Terrassen der Höfe, klopften wahllos an Türen . . . Die Korridore dieser Häuser sind nach schlauen Plänen der besten Raumausnützung, aber ohne Rücksicht auf leichte Orientierung angelegt; wie oft waren sie wohl durch die gleichen Korridore gekommen!* (A 172 f.).

Die Zustände des Verlorenseins, die in solchen Labyrinth-Abenteuern entstehen, können als Spiegelungen der im ganzen Roman herrschenden labyrinthischen Grundsituation aufgefaßt werden.

Als ein Beispiel für die dramatische Einbeziehung des Bildraums in die Handlung kann noch folgende Stelle gegen den Schluß des Kapitels »Der Onkel« dienen: *Aber schon am nächsten Tage wurde Karl in ein Büro des Onkels beordert . . ., wo er den Onkel und Herrn Pollunder ziemlich einsilbig in den Fauteuils liegend antraf. — „Herr Pollunder", sagte der Onkel, er war in der Abenddämmerung des Zimmers kaum zu erkennen, „Herr Pollunder ist gekommen, um dich auf sein Landgut mitzunehmen"* (A 61). Die Trennung Karls vom Onkel ist hier optisch bereits angedeutet: der Onkel wird im Dunkel des Raumes unsichtbar. Als Karl die Einladung Pollunders angenommen und sich umgekleidet hat, kehrt er in denselben Raum zurück. Aber der Onkel hat sich nun völlig zurückgezogen, und Karl wird ihn niemals wiedersehen.

Die Handlungsfunktion besteht hier in einer Art Vorausdeutung. Das räumlich-visuelle Verschwinden des Onkels bedeutet, daß Karl ihn bereits verloren hat, so wie auch die labyrinthischen Gänge auf die Ausweglosigkeit seines Geschicks vorausdeuten. Daß solche Beziehungen grundsätzlich rational erfaßbar sind, heißt noch nicht, daß sie schon beim Lesen bewußt aufgefaßt werden können. Statt Vorerkenntnis werden sie im Leser eher unbewußte Ahnungen wecken, und gerade darin liegt ihre besondere und geheimnisvolle Stilwirkung (vgl. 8).

25. Attribute und Kleidung

Wie man bemerkt hat, enthält das gleich zu Anfang des Romans symbolisch erscheinende Bild der Freiheitsstatue eine schwerwiegende Vorausdeutung. Nicht die Fackel, das Symbol der Freiheit, streckt sie empor, sondern ein Schwert. Ganz sicherlich also liegt hierin eine Anspielung auf den vom Dichter ausdrücklich bezeugten Tod Karl Roßmanns in der neuen Welt[34]. Daß die auf dem Schiff waltenden Beamten der Hafenbehörde s c h w a r z e Uniformen tragen scheint ebenfalls kein Zufall (A 19), zumal, wenn man sich an die erste Szene des Romans »Der Prozeß« erinnert. Der Gerichtsbeamte, der am Morgen der Verhaftung Josef K.s dessen Zimmer betritt, trägt eine Art schwarzer Uniform, *ein anliegendes schwarzes Kleid, das, ähnlich den Reiseanzügen, mit verschiedenen Falten, Taschen, Schnallen, Knöpfen und einem Gürtel versehen war* ... (P 9). Die Hafenbeamten sind die ersten Vertreter des neuen Kontinents, in dem Karl Roßmann dereinst *umgebracht* werden wird (T 481), wie auch jener schwarz uniformierte Beamte der erste sichtbare Exponent des geheimen und für K. todbringenden Gerichtes ist. Im Bild des schwarzen *Kleides* rückt die Aussage in den allgemeineren Bereich des Allegorischen.

---

[34] Daß hier nicht etwa ein Irrtum Kafkas vorliegt, scheinen die an dieser Stelle im MS gestrichenen Worte zu verraten: „Er (Karl) sah zu ihr auf und verwarf das über sie Gelernte". Aber selbst als „Irrtum" bliebe die Symbolik bestehen. – Eben diese Freiheitsstatue ist die erste Abbildung in Holitschers Buch »Amerika heute und morgen« (dritte Aufl., 1912, S. 11), das Kafka damals schon gelesen hatte (vgl 71).

Einheitlich gekleidet sind auch die Aufsichtsbeamten des Hotels. Karl erkennt einen von ihnen an der Berufskleidung, dem schwarzen Gehrock und dem Zylinder (A 183). Wiederum bietet sich von hier eine Parallele zum »Prozeß« an; denn dort, im Schlußkapitel, wird Josef K. von zwei Exekutionsbeamten in schwarzen Gehröcken und Zylindern abgeholt und hingerichtet (P 266). Man bedenke, daß *Roßmann und K., der Schuldlose und der Schuldige, schließlich beide unterschiedslos strafweise umgebracht* werden, Karl Roßmann aber *mit leichterer Hand, mehr zur Seite geschoben als niedergeschlagen* wird (T 481). Diesem Verhältnis entsprechend ist die tödliche Funktion der Beamten im »Verschollenen« nur allegorisch, in »Prozeß« aber realiter dargestellt.

Auch die zuvor als grobes Charakterisierungsmittel schon erwähnte S c h ü r z e verrät, vor allem im ersten Kapitel, eine ausgesprochene Handlungsfunktion. Dort wird beschrieben, wie Karl und der Heizer auf ihrem Gang durch das Schiff den Küchenmädchen begegnen. *Sie kamen durch eine Abteilung der Küche, wo einige Mädchen in schmutzigen Schürzen – sie begossen sie absichtlich – Geschirr in großen Bottichen reinigten* (A 18). Eine von ihnen ist die Verräterin Line. Diese Line taucht am Schluß des Kapitels nochmals auf, und zwar wiederum mit dem Attribut der Schürze (A 46). Ihr Verrat am Heizer wird dadurch gleichsam noch einmal optisch bestätigt.

Handlungsfunktionalität läßt schließlich auch die Kleidung Karl Roßmanns erkennen, ihr Wechsel steht zu den Wechselfällen seines Schicksals in sichtbarer Beziehung. Auf dem Schiff trägt Karl einen leidlich guten Anzug, in dessen Geheimtasche sich sein Geld befindet (A 15). Dieser bescheidene Reiseanzug muß im Hause des Onkels anspruchsvollerer Garderobe Platz machen. Lose klingelt ihm das Münzengeld in den Taschen des teuren Anzugs, den er beim Besuche Pollunders trägt (A 103). Die beiden Landstreicher, in deren Gesellschaft Karl nach dem jähen Verlust seiner hohen Position gerät, bringen ihn dazu, diesen Anzug zu verkaufen (A 119). Der jetzt heimatlose Karl trägt wieder – wie einst auf dem Schiff – das zu seiner Situation passende, bescheidene Reisekleid. In diesen Zusammenhang gehört die schon ausführlich erwähnte Mützenepisode (7). Funktional gesehen bedeutet das Wiederauftauchen der alten Reisemütze eine Vorwegnahme des tragischen Ausgangs der Handlung im »Landhaus«-Kapitel. – In der folgenden Phase seines Schicksals wechselt Karl wiederum die Kleidung, diesmal legt er die Uniform eines Liftjungen an (A 161). Das traurige Ende seiner Hotellaufbahn wird durch die Rückgabe dieser Uniform noch besonders markiert. Karl, zum dritten Male heimatlos geworden, kleidet sich abermals in seinen alten Reiseanzug (A 219). Mit diesem Kleiderwechsel ist der erste, vollendete Teil des Romans im wesentlichen abgeschlossen. Im folgenden Teil sinkt Karl unter die Grenze des Bereichs sozial geordneter Verhältnisse. Er hat beim Verlassen der Portierloge seinen Rock in den Fängen des wütenden Oberportiers zurücklassen müssen (A 230). Somit ohne Rock, Geld und Ausweispapiere zum verdächtigen, asozialen Individuum geworden, erregt Karl schon nach kürzester Zeit die Aufmerksamkeit eines Polizisten (A 239).

Das wechselnde Schicksal des Helden läßt sich also am Äußeren der Kleidung förmlich ablesen. Dabei ist der Anzug als Bildelement einmal funktional für den jeweiligen Ablauf des Mythos bestimmend, zum andern bestätigt er den zweiteiligen Aufbau des Romangrundrisses, wie ich ihn im ersten Teil dieses Buchs nachzuweisen versucht habe (17).

Als weiteres funktionstragendes Attribut wäre schließlich noch der K o f - f e r zu nennen, den Karl bei seiner Überfahrt nach New York mit sich führt. Dieser Koffer gerät nach Karls glücklicher Aufnahme beim Onkel anscheinend in völlige Vergessenheit; erst am Ende des Landhauskapitels taucht er wieder auf (A 108); denn sein Besitzer muß eine neue Reise ins Ungewisse antreten. Das gleiche gilt auch für den Regenschirm: bei beiden Dingen handelt es sich ja um Reiseutensilien. Als Karl nach der tragischen Entlassung aus dem Hotel abermals auf der Straße steht, werden diese beiden Attribute nicht mehr genannt. Karl hat sie offenbar als letzte Überbleibsel bürgerlicher Existenz im Hotel zurückgelassen, wenngleich dies im Text nicht ausdrücklich erwähnt wird.

Der Koffer dient übrigens auch noch dazu, die Übereinstimmung der Situation Karls mit der des Heizers anschaulich zu machen. Vom Heizer heißt es: *der Mann . . . hörte nicht auf, an dem Schloß eines kleinen Koffers zu hantieren, den er mit beiden Händen immer wieder zudrückte, um das Einschnappen des Riegels zu behorchen* (A 10).

26. GEBÄRDEN

Sehr auffallend ist die besondere funktionale Bedeutung der Gebärden für die Handlung. Die einfache Gebärde des Händefassens etwa zieht sich wie ein Leitmotiv mit wechselnd nuancierter Bedeutung durch die ganze Erzählung hindurch:

a) Der Heizer *faßte Karl bei der Hand* (A 17).

b) Karl *ging . . . zum Heizer, zog dessen rechte Hand aus dem Gürtel und hielt sie spielend in der seinen* (A 43).

c) *Herr Pollunder hielt Karls Hand in der seinen* (A 64).

d) Pollunder *faßte Karl schon bei der Hand* (A 69).

e) Die Oberköchin *faßte Karl bei der Hand* (A 135).

f) *Robinson . . . faßte Karl bei der Hand* (A 182).

g) *Schon faßte ihn der Oberportier bei der Hand* (A 220).

h) *der Oberportier . . . riß plötzlich an Karls Hand* (A 224).

i) *Robinson erfaßte Karls Hand* (A 233).

Die häufige Wiederkehr der gleichen Geste unterstreicht zunächst die ständig p a s s i v e Rolle des Helden, der immer wieder von irgendwelchen Mächten in sein Schicksal hineingezogen wird. Immer wieder greifen Hände nach ihm, dem Unschuldigen und Verführten. − Für den Handlungsverlauf ist die Gebärde des Händefassens insofern funktional bedeutsam, als sie stets an dramatischen Verbindungsstellen und Übergängen erscheint, so im »Heizer« als Zeichen des gemeinsamen Aufbruchs zur Aktion (a). Pollunder faßt Karls Hand, nachdem er ihn vom Onkel weggelockt und ganz unter seinem Einfluß hat (c). Die Geste wiederholt sich, als Pollunder versucht, Karl dem Einfluß Greens zu entziehen (d). Die entscheidende Bekanntschaft Karls mit der Oberköchin wird von dieser mit der gleichen Geste eingeleitet (e). Jeweils zu Beginn und am Schluß des »Falles Robinson« wird Karl von Robinson bei der Hand gefaßt; ganz eindeutig dient hier die Gebärde zur Markierung des Handlungsfortschritts (f, i).

Nur ein einziges Mal ergreift Karl von sich aus die Hand eines anderen Menschen: es ist die Hand des Heizers. Hier leitet die Gebärde (b) eine kurze, aber schicksalsschwere Szene zwischen Karl und dem Heizer ein; sie bedeutet Karls Bekenntnis zu tiefem, menschlichen Mitgefühl. In der einfachen Geste sammelt sich die ganze grenzenlose Anteilnahme, die die Gestalt des Heizers in Karl erweckt hat, sie bildet daher nicht nur den Höhepunkt des ersten Kapitels, sondern ist zugleich die menschlich bedeutsamste Stelle des ganzen Romans (vgl. 59).

Wie angegeben, ist durch die Gebärde des Händefassens zunächst die Verbindung zwischen der Oberköchin und Karl Roßmann hergestellt. Später dient die gleiche Gebärde dazu, die Beziehung der Oberköchin zum Oberkellner anzudeuten: *„Nein, bitte, nein", sagte die Oberköchin und ergriff seine Hand* (A 210). Der moralische Abfall der Oberköchin von Karl wird hier bereits optisch, in der Gebärde, vollzogen. Damit aber nicht genug, denn wenig später wird durch die gleiche Gebärde die vollständige Trennung bestätigt: Während Karl sich zum Abschied verbeugt, sieht er, *wie der Oberkellner die Hand der Oberköchin wie im geheimen umfaßte und mit ihr spielte* (A 219).

Am Schluß des ersten Kapitels gebraucht Karls Onkel eine ähnliche, aber gröbere Geste: *Der Senator legte die rechte Hand unter Karls Kinn, hielt ihn fest an sich gepreßt* (A 46). Eben diese Gebärde wird bezeichnenderweise auch von Brunelda ausgeübt: *Brunelda . . . faßte Karl am Kinn, um seinen Kopf an sich zu ziehen* (A 287). Eine gewisse Verwandtschaft der Handlungsfunktionen des Onkels und Bruneldas wird hier in der Analogie der Gebärden angedeutet. Es zeigt sich hierbei wieder, wie das durch die Bildsphäre repräsentierte Unbewußte anders urteilt als die bewußte Überlegung. Von innen her nämlich findet Karl keine wirklich sympathische Beziehung zum Onkel. Seine Sympathie ist viel eher eine Fiktion des Bewußtseins, an der er allerdings hartnäckig festhält. Wie um eine Fehldeutung der Geste auszuschließen, läßt sie der Dichter etwas abgewandelt und von dem unsympathischen Herrn Green ausgeübt nochmals erscheinen: *„Sehen Sie nur das Mädchen an, wie traurig es ist“, fuhr er fort und griff Klara unters Kinn* (A 74).

Zur Analogie und gegenseitigen Deutung der Gebärden seien noch einige weitere Beispiele genannt: *Karl . . . schlug die Hände an die Hosennaht* (A 27). Herr Pollunder *ließ . . . die Hände an die Hosennaht schlagen* (A 98). Die Geste bedeutet in beiden Fällen das *Zeichen des Endes jeder Hoffnung*, wie es der Dichter im ersten Beispiel selbst ausspricht.

Karl, senkte vor dem Heizer das Gesicht (A 27) und *Karl . . . blickte . . . vor sich auf den Fußboden* (A 208). Auch hier weist eine Gebärde der Hoffnungslosigkeit auf die Analogie zweier, im folgenden sogar dreier Situationen: *Und müde setzte sich der Heizer wieder und legte das Gesicht in beide Hände* (A 15). Ähnlich heißt es von Karl: *und er legte einen Augenblick lang das Gesicht in seine Hände* (A 292), und ähnlich auch von Therese am Schluß ihrer traurigen Erzählung: *sie . . . stockte aber, legte das Gesicht in die Hände und sagte kein Wort mehr* (A 176).

Eine deutliche Analogie der Situationen verrät sich ferner im Akte des Taschendurchsuchens, einer Maßnahme, die sich der Verdächtige und Asoziale gefallen lassen muß. Beim ersten Mal veranlaßt Karl selbst die Durchsuchung. Er ist soeben wieder in einen sozialen Organismus — das Hotel — eingegliedert, Delamarche und Robinson aber sind die Asozialen. *Beim Durchsuchen der Brusttaschen gelangte Karl an . . . die heiße, fettige Brust*

Robinsons (A 146). Als Karl selbst, nach seiner Entlassung aus dem Hotel, zu den Asozialen gehört, kehrt sich der Spieß um, und er muß sich nun seinerseits vom Oberportier eine Leibesvisitation gefallen lassen: *Und schon griff er in die eine von Karls Rocktaschen* (A 229).

Zwischen den beiden Abschiedssituationen − dem Abschied vom Schiff und vom Hotel − herrscht ebenfalls eine Übereinstimmung der Gebärden. Angehörige der Schiffsbesatzung stehen am Fenster, sie grüßen und winken *freundschaftlichst* (A 46). Am Ausgang des Hotels schütteln die zurückbleibenden Liftjungen Karl durch das Fenster des Automobils *herzlich* die Hand (A 233). Durch solche „Herzlichkeit" entsteht ein fast makabrer Kontrast zu den beiden Handlungstiefpunkten, an denen die Gesten jeweils erscheinen. Sowohl die Schiffsbesatzung − alles Freunde Schubals und Feinde des Heizers − wie auch die Liftjungen haben ja zum schlimmen Ausgang beider Affären erheblich beigetragen[35].

27. KOMIK

Vor allem im zweiten, unvollendeten Teil des »Verschollenen« schafft sich die grotesk-komische Phantasie des Dichters einen weit größeren Raum als anderswo. Quelle und Mittelpunkt des Komischen ist dort die Gestalt der Brunelda. Nach Schopenhauer entsteht das Lachen „aus der plötzlich wahrgenommenen Inkongruenz zwischen einem Begriff und den realen Objekten, die durch ihn, in irgend einer Beziehung, gedacht worden waren"[36]. Was nun Brunelda und ihre Situation betrifft, so ist eine Inkongruenz dieser Art in der Tat gegeben. In abstracto nämlich ist Brunelda als begehrenswertes Weib und Dame zu denken. Sie selbst, der von ihr verlassene Gatte (der Kakaofabrikant) sowie Delamarche und ganz besonders Robinson sind von dieser Abstraktion geradezu durchdrungen. In Wirklichkeit aber ist Brunelda aufs schlimmste verwahrlost und muß dem Leser wie Karl Roßmann abstoßend und ekelhaft erscheinen. Hierin eben besteht die Inkon-

---

[35] In seinem umfangreichen Buch über den »Verschollenen« schenkt Hermsdorf dem visuellen Aufbau keinerlei Beachtung. Es sei vielmehr „schon auf den ersten Blick klar, daß Kafka weitgehend auf die bewußte, bedachte Anwendung kompositorischer Mittel verzichtet: Die kompositorische Kunst der Vorbereitung, der Steigerung, des Kontrastes, der Parallele, der Leitmotivik und so weiter ist im Kafkaschen Roman stark verkümmert" (Kafka, S. 76).

[36] Schopenhauer, Die Welt als Wille und Vorstellung I, 13.

gruenz. Kafka hat sie durch das klassische Mittel der Komik, durch Übertreibung, zur höchsten Deutlichkeit gebracht.

Grenzenlose Übertreibung herrscht in den Schilderungen von Bruneldas Körperfülle und den daraus entstehenden Problemen der Pflege und des Transports, sehr konkret vor allem im sogenannten ersten Fragment und im Fragment »Ausreise Bruneldas«. Der kolossale Körper ist aber nicht nur an sich komisch, er deutet außerdem funktional auf Bruneldas große Sinnlichkeit. Dieses Motiv ist tragend, denn auf ihm beruht nicht nur die Vorgeschichte des Brunelda-Kapitels, sondern auch die nachfolgende, in das *Unternehmen Nummer 25* überwechselnde Handlung. Übertreibung liegt auch darin, daß sich Brunelda in allzu kurzer Zeit und wie selbstverständlich von der seriösen Opernsängerin zur Prostituierten wandelt. Ihre Hemmungslosigkeit äußert sich vor allem dann, wenn sie mit Robinson, ja sogar mit Karl zu kokettieren versucht (A 268 u. A 284). Übertreibung liegt schließlich auch in Bruneldas exaltierter Redeweise. Von Delamarche gebadet, klagt sie einmal über zu grobe Behandlung – *Mir ist ganz übel, wie du mich drückst* (A 336) –, dann wieder über zuwenig Energie: *Also greif doch zu!* (A 338). Vor Unzufriedenheit droht sie einmal, sofort aus der Wanne zu springen (A 338), ein anderes Mal, bis zum Abend in der Wanne sitzen zu bleiben (A 341). Diese und alle anderen Äußerungen Bruneldas sind nicht eigentlich witzig, enthalten aber in ihrer Anschaulichkeit eine starke Situationskomik. Man sieht förmlich das Unmögliche geschehen, sieht Brunelda aus der Wanne springen und was sonst noch folgen mag. Das Hauptmittel aller Komik wird hier in der Potenz gebraucht, denn das Übertriebene haftet nicht nur den um Brunelda herum entstehenden Situationen an, sondern gehört als Übertreibungs s u c h t zum individuellen Wesen und Charakter der Brunelda selbst.

Beruht das Komische an Brunelda vor allem auf der Inkongruenz ihrer Stellung, so gilt dies nicht weniger auch für Robinson. Robinson ist einerseits *Freund*, andererseits *Diener* Delamarches. Beide Funktionen – an sich schon gegeneinander inkongruent – sind aber nur abstrakt, in der Sphäre der Begriffe vorhanden. Von dort her geraten sie nun wiederum in ein Mißverhältnis zur Realität; denn Robinsons „Freundschaft" zu Delamarche ist eher eine Art Parasitentum. Robinson zehrt von der glücklichen Position Delamarches und weiß sich sogar Brosamen von Bruneldas Gunst zu erhaschen. Aber auch Robinsons Dienerberuf besteht nur als abstrakte Vorstellung; denn seiner notorischen Faulheit und Unverläßlichkeit wegen ist gerade er zum Dienen denkbar ungeeignet. Aus dieser mehrfachen Inkongruenz erzeugt nun die Übertreibung eine Fülle komischer Situationen, die zur Brunelda-Komik noch hinzutreten. Wie bei Brunelda, so liegt auch bei Robinson die Übertreibung schon im Charakter. Seiner Individualität entsprechend äußert sich dies bei ihm vor allem im ausgeprägten, pantomimischen Gebärdenspiel. Um etwa Karl gegenüber seine mißliche Lage zu demonstrieren, öffnet er *zum Beweise dessen seinen Rock, und man konnte sehen, daß kein Hemd da war, was man allerdings auch schon an dem lose sitzenden Kragen hätte erkennen können, der hinten am Rock befestigt war* (A 119). Als Robinson auf der Bahre liegt, genügt es ihm nicht, einfach mitzuteilen, er sei in Unterhosen, sondern es heißt außerdem: *und er lüftete die Decke ein wenig und lud Karl ein, unter sie zu schauen* (A 232). Auf seine neu erworbene weiße Weste sucht er Karl *durch Vorstrecken der Brust* aufmerksam zu machen. Da die Taschen dieser Weste nur imitiert sind, faßt er Karl bei der Hand, *damit sich dieser selbst davon überzeuge* (A 182). Ferner pflegt Robinson in besonders auffallender Weise zu trinken. Er verursacht dabei ein eigentümliches Geräusch, *da ihm die Flüssigkeit zuerst weit in die Gurgel eindrang, dann aber mit einer Art Pfeifen wieder zurückschnellte, um erst dann in großem Erguß in die Tiefe zu rollen* (A 140). Ein ähnliches Gebaren zeigt er beim Essen (s. 17).

Was Robinson betrifft, so mögen bestimmte Figuren Dickensischer Romane Kafka als Vorbild gedient haben (s. 69). Dies schließt jedoch nicht aus, daß sich der Dichter auch durch die ganz auf Pantomime beruhende Komik der zeitgenössischen Kinematographie hat anregen lassen. Sein Interesse dafür ist in einer Notiz vom 2. 7. 1913 ausdrücklich bezeugt: *Das Feuer, mit dem ich im Badezimmer meiner Schwester ein komisches kinematographisches Bild darstellte* (T 308). – Daß Kafkas Anteilnahme an kinematographischen Dingen mehr als oberflächlich war, wird aus der weiteren Untersuchung hervorgehen (s. 33).

Objektive, am konkreten Phänomen entstehende Komik ist ihrem Wesen nach stets anschaulich. Dies gilt auch für die objektiv-komische Darstellung im »Verschollenen«, die in ihrer starken Visualität dem visuellen Stil des gesamten Romans vollkommen gemäß ist.

Objektiv kann dieses Komische auch insofern genannt werden, als es von Karl Roßmann, in dessen Subjekt alles Umweltgeschehen mündet, durchaus nicht wahrgenommen wird, Karl vermag über Robinsons Clownerien und Bruneldas Exaltiertheit nicht zu lachen: dies würde seinem naiven, ethischen Charakter und der Ausweglosigkeit seiner tragischen Situation widersprechen. So deutlich also die komischen Elemente in den hier gegebenen Beispielen hervortreten, so sind sie doch weder ausgeprägt, noch zahlreich genug, um die tragische Grundsituation des Romans auch nur vorübergehend aufzuheben. Vielmehr erscheint das Tragische durch die grotesk-komischen Akzidenzien wie in einem schärferen, verfremdenden Licht.

28. Visuelle Kontinuität

Alle wesentlichen Erlebnismomente und Aussagen rationaler und nicht rationaler Art hat der Dichter als konkrete Bildwahrnehmungen seines Helden gestaltet. Die daraus hervorgehende suggestive Kraft des visuellen Stils grenzt den »Verschollenen« deutlich ab gegen das weite Feld des bloß Literarischen, dessen allgemeine Maßstäbe für ihn nur bedingte Geltung haben.

Es entspricht der Neigung Kafkas zum Anschaulichen, daß im Roman die R e d e als geistiger Ausdruck der Individuen zurücktritt und häufig durch Gesten, Mimik und andere Bildelemente ersetzt wird. Wenn in einer Erzählung die visuellen Bestandteile für gewöhnlich nur Illustrationen der Dialoge und mitgeteilten Gedanken sind, so ist es im »Verschollenen« eher umgekehrt. Gesprochenes und Gedachtes dient hier zur Erläuterung und Ergänzung des Sichtbaren. Gerade am »Heizer« läßt sich der so gut wie lückenlose Zusammenhang der Bildsphäre verfolgen. Die bloßen Bildaussagen für sich genommen und kinematographisch aneinandergereiht, würden ausreichen, um ein Kausalverständnis der Hauptvorgänge zu vermitteln. Vielleicht ist diese Folgerichtigkeit des Stils einer der Gründe dafür, warum Kafka den »Heizer« höher schätzte als die übrigen Kapitel seines Romans. Der Neigung nach ist indessen das Stilprinzip der visuellen Kontinuität im »Verschollenen« überall zu spüren. Hierzu sei ein Beispiel aus dem Kapitel »Der Fall Robinson« angeführt:

Als Karl in das Büro des Oberkellners eintrat, saß dieser gerade bei seinem Morgenkaffee, machte einmal einen Schluck und sah dann wieder in ein Verzeichnis . . .

Der Oberkellner . . . war dann aber sofort zu seinem Kaffee und zu seiner Lektüre zurückgekehrt . . .

. . . studierte weiter dais Verzeichnis und aß zwischendurch von einem Stück Kuchen . . .

. . . als der Oberkellner das Verzeichnis . . . auf den Tisch legte . . .

52

... der Oberkellner, ging zum Tisch hin, nahm das Verzeichnis wieder zur Hand, als wolle er darin weiterlesen ...

... Oberkellner ... der ... sein Frühstück beendete und eine Morgenzeitung überflog ...

... der Portier ... zeigte auf den noch lesenden Oberkellner ...

... der Oberkellner las noch immer die Zeitung ...

Endlich legte der Oberkellner die Zeitung gähnend hin ... (A 192–200).

Die Aussage dieser Gebärdenfolge liegt auf der Hand. Der Oberkellner, ein überbeschäftigter Mann mit genauester Zeiteinteilung, erledigt Karls Affäre – denn sie steht währenddessen zur Verhandlung – ganz nebenbei, wie mit der linken Hand. Das Wohl oder Wehe eines Liftjungen ist für ihn eine ebenso lästige wie nebensächliche Angelegenheit, die eine Unterbrechung des gewohnten Tagesablaufs nicht rechtfertigt. Die Mißachtung der Menschenwürde, ein moralisches Hauptthema des Romans, drückt sich auch in diesen Gebärden sichtbar aus. Man sieht förmlich, wie Karl Roßmann „*mit leichterer Hand, mehr zur Seite geschoben als niedergeschlagen*" wird (s. T 481). Endlich dient auch die Betonung physischer Akte, das Schlucken und Gähnen dazu, das Widerwärtige an der Person des Oberkellners hervorzuheben.

Der ästhetische Zweck der Bildfolge, auf den es hier besonders ankommt, besteht darin, das einmal exponierte Bild des Oberkellners einschließlich seiner Aussage während der ganzen, mehrere Seiten langen Szene gegenwärtig und lebendig zu halten. – »Der Verschollene« birgt eine Fülle weiterer Beispiele dieser Art. Einige davon sollen unter dem spezielleren Gesichtspunkt der Montage an anderer Stelle noch erläutert werden (s. 31).

29. Das Beispiel der Kinematographie

In seiner Filmdramaturgie gebraucht Béla Balázs den Begriff der „visuellen Kontinuität", um damit ein stilistisches Hauptmerkmal der stummen Kinematographie seiner Zeit mit Nachdruck zu kennzeichnen[37]. Robert Musil hat Balázs' Buch „ein unerwartetes Paradigma auch für die Kritik der Literatur" genannt, und es darf erwartet werden, daß die Ästhetik jener

---

[37] Balázs, Der sichtbare Mensch. Hierauf beziehen sich alle Seitenangaben innerhalb des Abschnitts.

allerjüngsten und ganz auf Visualität beruhenden Gattung den visuellen Stil Kafkas in einem neuen Lichte erscheinen läßt[38].

Balázs erhofft von der Kinematographie eine Rückwendung der literarisch gewordenen Kultur zur Ursprünglichkeit des Sichtbaren. Der Film, so betont er, hat „nichts mit der Literatur zu schaffen" (S. 40). Balázs fährt fort: „. . . hier liegt die Wurzel aller Mißverständnisse und Vorurteile, die den Großteil der literarisch Gebildeten unfähig machen, die Kunst im Film wahrzunehmen. Sie schauen nur auf den Fabelinhalt des Films und finden ihn freilich zu einfältig und primitiv. Aber die visuelle Gestaltung beachten sie nicht. So kann es dann geschehen, daß ein Literat, der Büchern gegenüber vielleicht eine hochdifferenzierte Empfindsamkeit zeigt, über den Griffith-Film ›Ein Mädchenlos‹ schreibt, er wäre ein abgeschmackter, sentimentaler Kitsch, weil er nichts weiter enthält, als daß ein Mädchen verführt und verlassen und darob elend und unglücklich wird" (S. 40). Im Film müsse in der Tat, sagt Balázs weiter, „auf rein gedankliche Werte verzichtet werden sowie auch auf jene seelischen Konflikte, die nur im Gedanken ausgetragen werden. Dafür bekommen wir aber Dinge zu sehen, die nicht zu denken und mit Begriffen nicht zu fassen sind. Und wir bekommen sie zu sehen, was ein ganz eigenes Erlebnis ist" (S. 42). Balázs wendet sich daher auch gegen die „Gedankenphotographie", das heißt gegen die Übersetzung eines Gedankens in ein Bild, die er als unfilmische Manier durchschaut. Die Substanz des Films ist das Bild selbst, „das irrationale Bild einer irrationalen Empfindung" (S. 94). Visuelle Kontinuität ist — wie gesagt — für Balázs das Merkmal eines guten Films. „Eine in Worten gedachte Erzählung wird nämlich viele Momente überspringen, die im Bilde nicht zu überspringen sind" (S. 44). Was Balázs hier beobachtet und fordert, hat Kafka in der ganz anderen Gattungssphäre der Erzählkunst sehr weitgehend verwirklicht. Freilich weiß Balázs, daß im stummen Film eine absolute Kontinuität praktisch kaum herzustellen ist, denn es müssen von Zeit zu Zeit Zwischentitel als Kurzdialoge oder innere Monologe eingefügt werden. Hierbei ist natürlich größte Sparsamkeit am Platze, und die Worte dürfen nicht mehr sein als Brücken für das vordergründige Kausalverständnis. — Die dem Film gemäße Bedeutung des Sprechens liegt weniger im gesagten Inhalt als im mimischen Ausdruckswert. Nach Balázs ist im Film »das Sprechen ein Mienenspiel und unmittelbar-visueller Gesichtsausdruck. Wer das Sprechen sieht, erfährt ganz andere Dinge als jener, der die

---

[38] Musil, Ansätze zu neuer Ästhetik, S. 668.

Worte hört" (S. 51). Es stimmt damit überein, daß die große Verteidigungsrede des Heizers vor dem Kapitän ihrem Wortsinne nach so gut wie gar nicht mitgeteilt ist (s. 31). Was wir erfahren, ist vielmehr die W i r k u n g , die sie als mimische Reaktion im Gebaren der zuhörenden Personen auslöst. Vor allem hier zeigt sich eine der vielen Möglichkeiten, die das Stilmittel der „sichtbaren Sprache" − so nennt es Balázs (S. 51) − in sich birgt, eine typisch kinematographische Möglichkeit, zu der der stumme Film in seiner allzu kurzen Lebensphase vielleicht nicht einmal vorgedrungen ist.

30. ZWISCHENBILDER

Der Begriff „Zwischenbild" soll hier als vorläufige Kennzeichnung eines dem »Verschollenen« eigentümlichen Stilphänomens gebraucht werden. Zwischenbilder sind Impressionen, die der Dichter als selbständige und genaue Beschreibungen in das erzählte Geschehen einfügt, ohne sie ihrem Inhalt nach mit der Handlung kausal zu verknüpfen. Von der szenischen Aktualität abschweifend, richtet sich der Blick des Helden auf die ihm ferner liegenden Sphären seiner amerikanischen Umwelt und hält ihre mannigfachen Lebensäußerungen in einzelnen, visionären Eindrücken fest. Der rasche, unvermittelte Wechsel vom Hier zum Dort, von der einen zur anderen Bildsphäre kann mit der kinematographischen Manier des Einblendens oder der Montage verglichen werden, vor allem, wenn zwei Phasen desselben Bildes in kurzem Abstand aufeinander folgen. So geschieht es im »Heizer«, wo sich Karls Blick zweimal vom Inneren der Kajüte weg auf die Vorgänge im Hafen richtet[39]:
Vor den drei Fenstern des Zimmers sah er ... ... in diesem Zimmer wußte man, wo man war (A 19).
Inzwischen ging vor den Fenstern ... ... auf die hilflosen Menschen und ihre Werke! (A 25).
Als weitere Beispiele für Zwischenbilder seien genannt:
Aus den Straßen, wo das Publikum ... ... Ereignisse im Unklaren blieben (A 65).
Überdies bestanden die Wände der Portierloge ... ... aufzuheben und an ihren Platz zu legen (A 220−224).

---

[39] Es sind hier nur die jeweils ersten und letzten Worte eines „Zwischenbilds" angegeben. Einige der Bilder erscheinen voll zitiert in 57.

Da waren zum Beispiel sechs Unterportiers ... ... die Telephonnummern herauszusuchen (A 225 f.).

Besonders reich an Zwischenbildern ist das Kapitel »Weg nach Ramses«. Der geringeren Spannung des Geschehens entsprechend, ist die Montagewirkung dort weniger deutlich:

Aller Nebel war schon verschwunden ... ... nicht allzuweit über den Köpfen der Fahrenden (A 124).

Sie kamen in eine ansteigende Gegend ... ... und war nicht mehr zu finden (A 125).

Ringsherum sah man ungeteilte Felder ... ... hoch sich schwingenden Viadukten donnern (A 131).

Karl saß aufrecht und sah ... ... keinen Passagier aussteigen gesehen (A 131).

Das Hotel war jetzt in allen seinen fünf Stockwerken ... ... aufleuchtend in das weitere Dunkel (A 139).

In diese Reihe gehört auch folgende Beschreibung:

hie und da schoß ein Automobil aus dem Nebel ... ... für die Spedition Jakob aufgenommen (A 121–123).

wenngleich hier der Schlußsatz eine Kausalverbindung zur fortlaufenden Handlung herstellt. –

Eine Art Zwischenbild ist ferner die in das Kapitel »Ein Asyl« eingefügte Beschreibung einer Massendemonstration (A 265–288). Gleichsam aus dem ruhenden Bild heraus entfaltet sich dort ein selbständiges, hochdramatisches Geschehen, das seines Umfanges wegen in mehrere Phasen unterteilt ist.

Problematisch wird der Begriff „Zwischenbild" in den Kapiteln »Der Onkel« und »Hotel Occidental«, da sich dort verschiedene erzählerische Elemente in lockerer Form miteinander verbinden. Dennoch wird die Beschreibung des Verkehrs in einer New Yorker Straße – vom Balkon des Onkels aus gesehen – deutlich als Zwischenbild empfunden:

Ein schmaler Balkon zog sich vor dem Zimmer ... ... immer wieder mit aller Kraft zerschlagen (A 48 f.).

Kafkas montageähnliche Technik, wie sie am Beispiel der Zwischenbilder zu verfolgen ist, scheint zunächst dem Prinzip der visuellen Kontinuität entgegengesetzt zu sein. Die Zwischenbilder unterbrechen den Ablauf einer bestimmten Szene und schieben sich als Bestandteile einer meist entfernteren Bildsphäre in das szenische Geschehen des Vordergrundes. Indessen ist der wahre Zweck solcher Einfügungen nicht die Trennung oder Auflösung der szenischen Einheit – vielmehr soll die scheinbare Verschiedenheit der Realsphären zu einem höheren Kontinuum der Idee vereinheitlicht werden[40]. Karl Roßmanns Schicksal wird durch die visuelle Einbeziehung der weiteren Umwelt auf gleichnishaft-bildliche Weise zu allgemeinerer Bedeutung erhoben. Diese höhere Bedeutung wird sich freilich erst aus dem Verständnis des Weltbildes voll erschließen lassen.

31. BEWEGUNGSMONTAGE

Kafkas Neigung zu überraschendem Bildwechsel ist interessant genug, um eine eingehendere Untersuchung zu rechtfertigen. So fehlt es im »Verschollenen« nicht an Beispielen für eine rein vordergründige Bewegungsmontage. Deutlichen Montagecharakter trägt vor allem jene große Szene im Mittelpunkt des ersten Kapitels, in der der Heizer, von Karl unterstützt, um die Zurücknahme seines Entlassungsbescheides kämpft. Zwei Parteien stehen sich gegenüber: die des Heizers, zu der auch Karl gehört, und die Partei der Schiffsverwaltung, welche durch eine Gruppe von mehreren Personen vertreten ist. Karl und der Heizer bilden hierbei die aktive, die Schiffsverwaltung die bloß reaktive Partei. Das Spiel und Gegenspiel verläuft in z w e i parallelen Bewegungsreihen, wobei sich jede Reihe aus mehreren Bewegungsp h a s e n zusammensetzt. Das Geschehen beginnt mit einer Art optischer Exposition; als Karl mit dem Heizer das Schiffsbüro betritt, bietet sich ihm folgendes Bild (A 19 f.):
An einem runden Tisch saßen drei Herren, der eine ein Schiffsoffizier ..., *die zwei anderen, Beamte der Hafenbehörde ... Am Fenster saß an einem* *Schreibtisch ... ein kleinerer Herr ...* (dieser ist der Kassierer, er ist ebenso wie die anderen mit Büroarbeiten beschäftigt). *Das zweite Fenster war* *leer ... In der Nähe des dritten aber standen zwei Herren in halblautem* *Gespräch* (einer davon ist der Kapitän, der andere Karls Onkel; später tritt noch ein Diener hinzu). Diese nach Art einer Regieanweisung geschilderte Personengruppe bildet gleichsam ein T a b l e a u, das durch die nun beginnende Aktion Karls und des Heizers gestört wird.
(Phase I, die erste Phase des Gestörtseins, ist die Reaktion der Gruppe auf das entschlossene Vordringen Karls zum Schreibtisch des Kassierers:)
Natürlich wurde gleich das Zimmer lebendig. Der Schiffsoffizier am Tisch *war aufgesprungen, die Herren von der Hafenbehörde sahen ruhig, aber*

---

[40] Worin diese Idee besteht, versuche ich in 57 ff. darzulegen.

aufmerksam zu, die beiden Herren am Fenster waren nebeneinandergetre-
ten, der Diener, welcher glaubte, er sei dort, wo schon die hohen Herren
Interesse zeigten, nicht mehr am Platze, trat zurück ... Der Oberkassier
endlich machte in seinem Lehnsessel eine große Rechtswendung (A 21).

(Phase II fällt mitten in die Rede des Heizers, die durch ihre Ausführlich-
keit Langeweile zu erzeugen beginnt:)

Als erster setzte der Herr in Zivil sein Bambusstöckchen in Tätigkeit und
klopfte, wenn auch nur leise, auf das Parkett. Die anderen Herren sahen
natürlich hie und da hin, die Herren von der Hafenbehörde, die offenbar
pressiert waren, griffen wieder zu den Akten und begannen, wenn auch
noch etwas geistesabwesend, sie durchzusehen, der Schiffsoffizier rückte
seinen Tisch wieder näher, und der Oberkassier, der gewonnenes Spiel zu
haben glaubte, seufzte aus Ironie tief auf. Von der allgemein eintretenden
Zerstreuung schien nur der Diener bewahrt, der ... Karl ernst zunickte,
als wolle er damit etwas erklären (A 24 f.).

(Phase III, noch immer Reaktion auf die Heizerrede, läßt deutliche Zeichen
von Ungeduld erkennen:)

Längst schon pfiff der Herr mit dem Bambusstöckchen schwach zur Decke
hinauf, die Herren von der Hafenbehörde hielten schon den Offizier an
ihrem Tisch und machten keine Miene, ihn je wieder loszulassen, der Ober-
kassier wurde sichtlich nur durch die Ruhe des Kapitäns vor dem Drein-
fahren zurückgehalten, der Diener erwartete in Habachtstellung jeden
Augenblick einen auf den Heizer bezüglichen Befehl seines Kapitäns
(A 26).

(Phase IV zeigt die Empörung der Gruppe über das ungebührliche Betragen des Heizers, der jetzt begonnen hat, mit Karl zu streiten:)

Jetzt, wo doch die Herren am runden Tisch längst empört über den nutz-
losen Lärm waren, der ihre wichtigen Arbeiten störte, wo der Hauptkassier
allmählich die Geduld des Kapitäns unverständlich fand und zum sofortigen
Ausbruch neigte, wo der Diener, ganz wieder in der Sphäre seiner Herren,
den Heizer mit wildem Blicke maß, und wo endlich der Herr mit dem
Bambusstöckchen, zu welchem sogar der Kapitän hie und da freundlich
hinübersah, schon gänzlich abgestumpft gegen den Heizer, ja von ihm an-
gewidert, ein kleines Notizbuch hervorzog und, offenbar mit ganz anderen
Angelegenheiten beschäftigt, die Augen zwischen dem Notizbuch und Karl
hin und her wandern ließ (A 27 f.).

Verfolgt man nun andererseits die durch Karls Vorgehen eingeleitete
Aktion des H e i z e r s , so ergibt sich folgende Reihe:

1. (Zwischen Phase I und II:)

Musterhaft ruhig nahm er aus seinem Köfferchen mit dem ersten Griff ein Bündelchen Papiere sowie ein Notizbuch, ging damit, als verstünde sich das von selbst, unter vollständiger Vernachlässigung des Oberkassiers, zum Kapitän und breitete auf dem Fensterbrett seine Beweismittel aus. Dem Oberkassier blieb nichts übrig, als sich selbst hinzubemühn (A 23).

2. (Zwischen Phase II und III:)

Er redete sich allerdings in Schweiß, die Papiere auf dem Fenster konnte er längst mit seinen zitternden Händen nicht mehr halten (A 25).

3. (Zwischen Phase III und IV:)

Aber der Heizer ... fing ... zur Krönung seiner Taten mit Karl jetzt zu streiten an (A 27).

Demnach verläuft auch die Aktion des Heizers in einzelnen Phasen (arabische Ziffern). Diese sind alternierend in die Bewegungsphasen der Gruppe (römische Ziffern) eingeschaltet. Jede Phase jeder Reihe repräsentiert dabei einen neuen, dramatisch wichtigen Zustand. So verrät das Gebaren des Heizers nacheinander innere Sammlung (1). Erregtheit (2) und Kopflosigkeit (3), jenes der Gruppe Interesse (I), Gleichgültigkeit (II), Ungeduld (III) und Empörung (IV). Der Phasenwechsel vollzieht sich nach folgendem Schema:

Gruppe:	I	II	III	IV
Heizer:	1	2	3	

Es wird hierbei deutlich, wie Kafka zwei in der Wirklichkeit parallel und gleichzeitig verlaufende Bewegungsreihen in ein N a c h e i n a n d e r auflöst, um eben dadurch den Eindruck der G l e i c h z e i t i g k e i t auf anschauliche und unmittelbare Weise entstehen zu lassen. – Der besondere Reiz dieses Verfahrens liegt in seiner hohen Lebendigkeit; denn es fügt zur Eigendynamik der Handlung eine neue, aus dem bewegten Wechsel der Bildfolge entstehende B i l d d y n a m i k hinzu.

Auch an anderen Beispielen aus dem »Verschollenen« läßt sich Kafkas Neigung zur Bewegungsmontage demonstrieren. In einer Szene des Kapitels »Ein Landhaus bei New York« ist Karl Roßmann zu Gast an der Tafel des Herrn Pollunder. Zum Leidwesen Karls drängt sich der ungebeten hinzugekommene Herr G r e e n immer mehr in den Vordergrund:

I. *Einen gefüllten Suppenlöffel nach dem anderen hob er zum Mund*

II. *Green, der gerade eine Taube mit scharfen Schnitten zerlegte.*

III. *Green ... führte einen Bissen in den Mund, wo die Zunge ... mit einem Schwunge die Speise ergriff.*

IV. Herr Green hatte sich inzwischen ruhig mit seinem Essen beschäftigt.
V. Das Essen zog sich besonders durch die Genauigkeit in die Länge, mit
der Herr Green jeden Gang behandelte.
VI. ... die Art, wie er mit dem Besteck hantierte ... (A 71–74).

Die Gebärden Greens bilden eine Bewegungsreihe, wie sie ähnlich am Beispiel des essenden Oberkellners (28) schon beobachtet wurde. Auch in der Aussage ähneln sich beide Szenen, denn Green und der Oberkellner üben etwa die gleiche Handlungsfunktion aus (vgl. 11).

Eine Montagewirkung entsteht nun dadurch, daß die Gebärden K a r l s in den Vorgang eingeschaltet werden:

1. *Karl ... konnte keinen Schluck der goldfarbigen Suppe hinunterbringen.*
2. *Ihm wurde fast übel und er stand auf.*
3. *... daß er einmal ganz unpassend rasch und viel aß und dann wieder für lange Zeit müde Gabel und Messer sinken ließ* (A 71–73).

Der Bildwechsel dieser Szene verläuft wie folgt:

Green:	I	II, III	IV, V
Karl:	1	2	3

Im selben Kapitel entsteht an einer anderen Stelle nochmals eine längere und sehr ausgeprägte Bewegungsreihe. Sie beginnt, als sich Karl Herrn Pollunder mit der Bitte nähert, ihm die Rückkehr zum Onkel zu ermöglichen. Die gemeinsamen Bewegungen Karls und Pollunders sind in elf verschiedenen Phasen über mehrere Seiten hinweg dargestellt. Pollunder kommt dem Wunsche Karls nur zum Schein entgegen, denn er steht bereits völlig unter dem Einfluß G r e e n s, der ihm durch bedeutsames Gebärdenspiel seinen Willen suggeriert:

I. Herr Green ... zog eine Brieftasche heraus, die an Größe und Dicke ein Ungeheuer ihrer Art war, schien in den vielen Taschen ein bestimmtes Stück zu suchen.

II. ... Green ..., der sich weiterhin mit seiner Brieftasche beschäftigte.

III. Green, der endlich einen Brief aus seiner Tasche gezogen und vor sich auf den Tisch gelegt hatte.

IV. Green ... vertiefte sich in das Anschauen des Briefes, an dessen Rändern er mit zwei Fingern hin und her fuhr (A 91–96).

Pollunder erkennt – im Gegensatz zu Karl – die Bedeutung dieser Gebärden; er weiß, daß der Brief die Verurteilung Karls durch den Onkel enthält und daß auch er – Pollunder – sich diesem Urteil zu beugen hat. In die Reihe der gemeinsamen Gebärden Pollunders und Karls sind nun die Gebärden G r e e n s nach folgendem Schema eingefügt:

Karl u. Poll.:	1	2–6	7–9	10	11
Green:	I	II	III	IV	

Eine montageähnliche Wirkung entsteht ferner in einer längeren Szene zu Beginn des Kapitels „Ein Asyl". Karl Roßmann muß dort nach zwei Seiten – gegen Delamarche und einen Polizisten – seine Freiheit verteidigen. Um die Streitenden bildet sich sogleich eine Gruppe von Neugierigen, die aus Robinson, einem fremden Burschen, mehreren Transportarbeitern und Kindern besteht. Ähnlich wie im »Heizer«, wenn auch in weniger strenger Form, entsteht aus der Situation heraus eine mimische Bewegungsfolge in mehreren Phasen[41]. Die Bewegungen der Zuschauergruppe sind jeweils gestische Reaktionen auf das im Vordergrund sich abspielende Geschehen um Karl Roßmann, so daß sich eine deutlich wahrzunehmende Montagewirkung ergibt (A 236–243).

Unter den Begriff der Montage gehört schließlich auch das groteske Menü Robinsons auf dem Balkon der Brunelda, das in sieben verschiedenen Phasen in die Binnenerzählung eingeschaltet ist (s. 17).

Ein Beispiel für Montage außerhalb des »Verschollenen« gibt Kafkas Erzählung »In der Strafkolonie«. Das mimische Verhalten des Delinquenten und seines Wächters ist als eine Art Nebenhandlung in den Hintergrund verlegt und in nahezu regelmäßigen Abständen phasenweise in das Geschehen des Vordergrundes eingefügt. Durch das rein visuelle Moment des Bildwechsels wird die Gesamthandlung somit auf eine Weise gegliedert, die fast rhythmisch genannt werden kann (E 199–237). –

Um das Phänomen der Bewegungsmontage in kurzer Form darzustellen, mußte ich manches vereinfachen. Die tatsächliche Struktur des Textes ist weit komplizierter, als es die bloßen Schemata vermuten lassen. Zwar ist die Bildsphäre durch ihre unmittelbare Beziehung zum Unbewußten die bedeutsamste, ihre Wirkung wird jedoch durch andere Darstellungselemente, wie Dialog, inneren Monolog, Gedachtes, vor allem aber durch die Struktur der Sprache selbst, weitgehend mitbestimmt.

32. Parallelmontage in der Kinematographie

Die Kunst der Bewegungsmontage, in der das Prinzip der visuellen Kontinuität seinen deutlichsten Ausdruck findet, ist kinematographischen Ur-

---

[41] Ein knapper Hinweis hierauf bei M. Walser, S. 82 f.

sprungs[42]. Als Erfinder dieser in der Frühzeit des Films aufgekommenen und mit dem Tonfilm fast verschwundenen Manier gilt der amerikanische Regisseur David Lewelyn Wark Griffith (1880–1948). „D. W. Griffith benutzte als erster das dramaturgische Verfahren der Montage in seinem Film ›The Lonely Villa‹ (1909), um eine dramatische Zuspitzung der Geschehnisse zu erreichen: Eine Villa wird von Banditen attackiert, in der sich eine Frau mit ihren zwei Kindern befindet. Die Frau hält die Banditen mit einem Revolver in Schach und ruft ihren Gatten telefonisch um Hilfe. Griffith kam auf den Gedanken, die sich daraus entwickelnden Parallelhandlungen in rascher und sich steigernder Folge und Abwechslung ineinanderzuschneiden. Abwechselnd zeigt er die Banditen, die einzudringen versuchen, die Reaktion der Frau und ihrer Kinder, und im Kontrast dazu den Vater, der den Seinen zu Hilfe eilen will. Damit war die Kunst der ‚Montage‘ geboren"[43]. Obwohl der Filmmontage eine große Bedeutung eingeräumt wird, finden sich in den Filmgeschichten nur spärliche und meist ungenaue Angaben. Immerhin läßt das Beispiel aus »The Lonely Villa« eine Analogie zu Kafkas Montageverfahren im »Verschollenen« erkennen. Es zeigt die alternierende Komposition dreier in Einzelphasen zerlegter Bewegungsreihen, die den Eindruck der Gleichzeitigkeit und zugleich eine neuartige, rhythmisch-visuelle Dynamik erzeugt.

Offenbar haben sich damals auch in Deutschland die Verfasser von Kinostücken die neuen Möglichkeiten der Parallelmontage rasch zu eigen gemacht. Im Jahre 1913 – wenn nicht noch früher – schrieb der Dichter Heinrich Lautensack eine Art Drehbuch mit dem Titel: »Zwischen Himmel und Erde. Ein kino(!)matographisches Spiel in 3 Akten«. Es erschien 1914 zusammen mit anderen Kinostücken verschiedener Verfasser in einer »Das Kinobuch« betitelten Veröffentlichung des Kurt Wolff Verlags zu Leipzig. Das Spiel enthält insgesamt 72 durchgehend numerierte Kurzszenen. Vor allem an einer Stelle im zweiten Akt läßt sich die dort angewandte Parallelmontage genau verfolgen[44]. (Ein gerade fertiggestellter Fabrikschornstein

---

[42] Zwar erwähnt Balázs den von ihm so genannten „Simultaneismus" als einen Spezialfall der Montage (S. 129), nicht aber die hier gemeinte, eigentliche Parallelmontage.

[43] Film, Rundfunk, Fernsehen, S. 67 f.

[44] Kinobuch, S. 150 f. – Unter dem Titel des Stückes, auf Seite 141, ist angemerkt: „Dieses (bereits aufgeführte) Szenarium ist Eigentum der Continental Kunstfilm G. m. b. H."". – Offensichtlich handelt es sich um eine Travestie auf die Erzählung gleichen Titels von Otto Ludwig.

soll inspiziert werden. Der Ingenieur Olaf und sein Rivale Erdmannsdorf lassen sich deshalb gemeinsam mittels eines Seilaufzuges, der von Arbeitern am Fuße des Schornsteins bedient wird, hinaufziehen.)

„25. Die beiden auf dem Weg zum Schornstein . . .

26. Am Fuße des Schornsteins − nahe der Welle, die . . . von den . . . Arbeitern bedient wird.

27. Olaf und Erdmannsdorf betreten − ganz nah sichtbar − das kleine Förder-Trittbrett.

28. Die Arbeiter beim Hochziehen.

29. Die beiden Rivalen, schon etwas erhoben.

30. Arbeiter arbeiten mächtig.

31. Die Hinauffahrenden nochmals kurz zu sehen . . . Die Gesichter einander hart zugekehrt.

32. Die Arbeiter an der Welle − ganz nah . . .“.

Die Bildfolge besteht hier aus zwei verschiedenen Komponenten, den Bewegungen der beiden Rivalen und jenen der Arbeiter. (Zufällig wird hier die erste durch ungerade, die zweite durch gerade Nummern bezeichnet.) Beide Komponenten sind also schon im Drehbuch in streng alternierender Folge aneinandergereiht, so daß ein rhythmischer Bildwechsel zustandekommt, der den größten Teil des sehr bewegten zweiten Aktes beherrscht. Das mit Ironie geschriebene Stück verrät auch sonst die Vertrautheit Lautensacks mit den Forderungen und Möglichkeiten der Kinematographie.

33. KAFKA UND DIE KINEMATOGRAPHIE

Eine Reihe von Selbstzeugnissen läßt Kafkas Interesse an kinematographischen Stoffen ohne weiteres erkennen. Ausdrücklich sind Kinobesuche in Briefen und Tagebüchern vermerkt, und Max Brod nennt sogar den Namen eines Prager Kinos, das die beiden Freunde um das Jahr 1908 zu besuchen pflegten (Br 499). − Auf einer Postkarte an Max Brod vom 25. 2. 1911 findet sich folgende Bemerkung: . . . *ich bin mit einer Frau gefahren, die der Sklavenhändlerin aus ›die weiße Sklavin‹ sehr ähnlich gesehen hat* . . . (Br 88). Der Eindruck, den dieses Kinostück in Kafka hinterlassen hat, war nicht gering; ein halbes Jahr später nämlich, am 26. 8. 1911, taucht derselbe Titel im Reisetagebuch »Richard und Samuel« wieder auf. Anläßlich eines harmlosen Reiseabenteuers erinnert sich Kafka *genau an das Kinematographenstück ›Die weiße Sklavin‹, in dem die unschuldige Heldin gleich am*

Bahnhofsausgang im Dunkel von fremden Männern in ein Automobil gedrängt und weggeführt wird. In demselben Zusammenhang heißt es weiter: *Die Pneumatiks rauschen auf dem nassen Asphalt wie der Apparat im Kinematographen. Wieder diese ›Weiße Sklavin‹* (E 302 f.). Es handelt sich hier um ein frühes Exemplar des heute noch beliebten Genres der „Sittenfilme", in denen Mädchenhandel oft eine Rolle spielt. 1911 ist das Jahr der geistigen Konzeption des »Verschollenen« (s. 72), und manches Abenteuerliche und kriminell Spannende an diesem Roman, auch etwa das aktuelle, großstädtische Milieu, mag zu einem Teil von Kinostücken dieser Art inspiriert sein. Das Motiv der im Auto entführten Unschuld zum Beispiel erinnert an Autoszenen am Schluß des zweiten und sechsten Kapitels. Ferner ist zu erinnern, daß der im »Verschollenen« nur angedeutete Motivkreis des *Unternehmens Nummer 25* die Sphäre der „Sittenfilm"-Thematik immerhin berührt. Vielleicht erstreckt sich die hier vermutete Beziehung sogar auf die Gestalt der Fanny, die ja einem solchen Motivkreis zu entstammen scheint[45].

Am 25. 9. 1912, unmittelbar vor Beginn der Reinschrift des ersten Teils des »Verschollenen« notiert Kafka: *Heute abend mich vom Schreiben weggerissen. Kinematograph im Landestheater* (T 295), oder am 20. 11. 1913: *Im Kino gewesen. Geweint. ›Lolotte‹. Der gute Pfarrer. Das kleine Fahrrad. Die Versöhnung der Eltern. Maßlose Unterhaltung. Vorher trauriger Film ›Das Unglück im Dock‹, nachher lustiger ›Endlich allein‹* (T 330). Daß der Kinematograph für Kafka mehr bedeuten konnte als bloß zer-

---

[45] Der zweiaktige, 603 m lange Film »Die weiße Sklavin« mit Ellen Dietrich in der Titelrolle entstand 1910 in einem Kopenhagener Atelier der „Nordisk Films Compagni". Der schlichte Inhalt ist folgender: Ein Mädchen aus armer, kleinbürgerlicher Familie bewirbt sich um eine annoncierte Stellung als Gouvernante ins Ausland. Am vermeintlichen Ziel findet sie sich in den Händen einer Mädchenhändlerbande. Da sie sich sträubt, sperrt man sie in ein Bordell. Die Befreiung durch den heimlich benachrichtigten Bräutigam gelingt schließlich nach einer Reihe dramatischer Fehlschläge, wobei Automobile mehrfach beteiligt sind. Technisch bringt der Film für seine Zeit wenig neues, Großaufnahmen und Parallelmontagen sind ihm fremd; immerhin mag der rasche, dramaturgisch wirksame Schnitt (Szenenwechsel) sowie eine gewisse Realistik der Außenaufnahmen damals eindrucksvoll gewesen sein. Meine ursprüngliche Annahme, Asta Nielsen habe in diesem Film mitgewirkt, trifft nicht zu. In diesem Punkt berichtige ich meinen Aufsatz »Kafka und die Anfänge des Kinos«, der sich hierin auf (unrichtige) Angaben von Rudolf Harms stützte. Genauere Angaben, sowie die Gelegenheit den Film selbst zu sehen verdanke ich dem Direktor der Deutschen Kinemathek e. V. Berlin, Herrn Gerhart Lamprecht.

streuende Unterhaltung, zeigt eine vorangegangene Notiz vom 1. 7. 1913: *Der Millionär auf dem Bild im Kino ›Sklaven des Goldes‹. Ihn festhalten. Die Ruhe, die langsame zielbewußte Bewegung, wenn notwendig rascher Schritt, Zucken des Armes. Reich, verwöhnt, eingelullt, aber wie er aufspringt wie ein Knecht und das Zimmer in der Waldschenke untersucht, in das er eingesperrt worden ist* (T 307). Vor allem hier zeigt sich, wie der Dichter die Bildbewegung mit Ernst und Genauigkeit verfolgt.

In seiner Kafka-Biographie berichtet Max Brod über eine Reise nach Brescia, die er 1909 gemeinsam mit Kafka unternahm, um dort einem Flugmeeting beizuwohnen[46]. Kafka vor allem sei es gewesen, der zu dieser Reise gedrängt habe, denn „für alles Neue, Aktuelle, Technische interessierte er sich, so zum Beispiel auch für die Anfänge des Films; niemals zog er sich stolz zurück, selbst Mißbräuchen und Auswüchsen der modernen Entwicklung ging er mit Geduld und unerschöpflicher Neugierde bis an die Wurzeln nach . . .“[47]. – Eine andere Bemerkung Brods stimmt hiermit überein: „zu organischer Gestalt gediehene Einzelheiten in einer Operette, einem konventionellen Film konnten ihn zu Tränen rühren. Er war ein durchaus selbständiger Entdecker, der sich an die gefühllosen Klassifikationen der Literaturgeschichte nicht im leisesten gebunden wußte“[48].

Aus Aufzeichnungen vom Januar 1911 geht hervor, daß sich Kafka auch über Stileigentümlichkeiten der Kinematographie Gedanken machte. Er vergleicht das „Kaiserpanorama“, das er in Friedland besucht hat, mit den Wirkungen des Kinos. Die vollkommen statischen Panoramenbilder nennt er *lebendiger als im Kino, weil sie dem Blick die Ruhe der Wirklichkeit lassen. Das Kino gibt dem Angeschauten die Unruhe seiner Bewegung, die Ruhe des Blickes scheint wichtiger* (T 593). Hier ist klar von der Eigenbewegung des Kinos die Rede, die von der Bewegung des gefilmten Gegenstandes wohl zu unterscheiden ist. Kafka hat damit bewußt und kritisch die vielleicht wesentlichste Eigenart der Kinematographie erkannt, nämlich die eigene Dynamik der Kamera oder des „Schnittes“. In einer weiteren Bemerkung vergleicht er die visuelle Wirkung des gehörten Wortes mit der des Panoramas und der Wirklichkeit: *Die Entfernung zwischen bloßem Erzählenhören und Panoramasehn ist größer als die Entfernung zwischen letzterem und dem Sehn der Wirklichkeit* (T 594). Gerade diese Notiz zeigt,

---

[46] vgl. Kafkas Reportage »Die Aeroplane in Brescia« in: Brod, Franz Kafka, S. 315–326.
[47] Brod, Franz Kafka, S. 126.
[48] Brod, Franz Kafka, S. 66.

daß sich Kafka mit Problemen der Beziehung zwischen Sprache und Visualität sehr bewußt auseinandersetzt, und dies zu einer Zeit, die zur Konzeption
des »Verschollenen« in allerengste Nähe rückt.

34. Ergebnis

Kafkas starke Neigung zu konkreter Darstellung des Sichtbaren sei als
wesentliches Stilmerkmal des »Verschollenen« nochmals hervorgehoben. Sie
wird vor allem deutlich in der Funktionalität der Gebärden und anderer
Bildelemente (21–26), in einer durchaus visuell bedingten, pantomimischen
Komik (27), in der Einfügung von „Zwischenbildern" (30), in den Parallelmontagen (31) und schließlich auch in der Wahl spannender Stoffe und
realistischer Milieus. Die hier aufgezählten Stilmerkmale sind zugleich Cha-
rakteristika der zeitgenössischen Kinematographie, die etwa seit Griffith
(1909) mit fortschreitender Vervollkommnung die Aufmerksamkeit junger,
vor allem expressionistischer Künstler auf sich lenkte[49]. – Es spricht alles
dafür, daß auch Kafka von der neuen Erfindung Anregung empfing, die
seinen Stil jener Jahre entscheidend mitgeformt haben. Das bewegte Pro-
jektionsbild berührte eine bestimmte Seite seines Wesens: die gesteigerte
Empfänglichkeit für alles Sichtbare, die der Dichter mit dem jungen Helden seines ersten Romans gemeinsam hatte (vgl. 55).

Die stark ausgeprägte Visualität des Stils, dessen Anfänge eine gewisse
Beziehung zur impressionistischen Tradition noch verraten, darf auch als
generelles Charakteristikum einer frühen, jugendlichen Lebens- und Schaffensperiode des Dichters festgehalten werden. Was das Werk betrifft, so
findet sie mit dem einstweiligen Abbrechen der Arbeit am »Verschollenen«
gegen Ende des Jahres 1912 – trotz späterer Fortsetzungsversuche – einen
gewissen Abschluß, der mit äußeren Veränderungen im Leben Kafkas zu-
sammenfällt. Mit der nach anderthalbjähriger Schreibpause beginnenden
Arbeit am »Prozeß« – Kriegsausbruch, Entlobung und Trennung vom Elternhaus bezeichnen den jetzt veränderten Lebenshintergrund – kündigt sich
die Wendung zu einer neuen, bildärmeren und „dialektischen" Darstellungs-
methode an. Die Vorherrschaft des Sichtbaren wird durch die immer mehr
Raum beanspruchenden exegetischen Situationsanalysen der erwachsenen
K.-Helden gebrochen. Hierbei drängt sich der Gedanke auf, daß dieser Un-

---

[49] vgl. »Das Kinobuch« (1913).

terschied des Stils im Altersunterschied Karl Roßmanns und der K.s sein poetisches Analogon gefunden habe (vgl. 55). Im gleichen Maße, in dem das oft quälend dialektische, ja sophistische Nachdenken als charakteristischer Willensausdruck der K.s und damit als Gegenstand der späteren Romane hervortritt, wird die Reflexion zum immer stärker bevorzugten Medium der persönlichen Wirklichkeitserfahrung Kafkas überhaupt. So tritt denn das rein visuelle Erleben auch in den Aufzeichnungen der späteren Jahre zurück, Photo- und Kinoeindrücke verschwinden und werden — wie Janouch verrät — sogar skeptisch beurteilt[50]. Schließlich erscheinen vor allem in den „Oktavheften" der Jahre 1917/18 Gedanken zu erkenntnistheoretischen und metaphysischen Fragen in Form regelrechter Aphorismen, an denen die präzise Anwendung philosophischer Terminologien ins Auge fällt[51].

---

[50] Kafkas Ablehnung des Kinos und auch der Photographie wird von Ladendorf (I, S. 320 ff.) stark hervorgehoben. Sie kann jedoch zur Zeit des »Verschollenen« noch nicht bestanden haben, wie sich unschwer nachweisen läßt (vgl. bes. 71).

[51] Sie berühren sich in mancher Hinsicht mit dem Denken Schopenhauers. Man vgl. etwa Äußerungen wie *Das Leiden ist das positive Element dieser Welt* (H 108) und viele andere, vor allem im sog. Dritten Oktavheft. Kafka besaß eine Ausgabe der Werke Schopenhauers (s. Wagenbach, F. K. e. Biographie s. Jugend, S. 260) und las dessen Biographie (H 55 f.). Lektüre ist ferner bezeugt durch Br 310 (vgl. auch 64, Anm. 92). – Die Richtigkeit dieser Annahmen bestätigte mir Herr T. J. Reed (Oxford), dessen Studie »Kafka und Schopenhauer« demnächst erscheinen wird.

TEIL III

ERZÄHLHALTUNG UND SPRACHE

35. SPRACHLICHE OBJEKTIVITÄT

Die entscheidende Stufe und Basis seiner späteren sprachlichen Entwicklung erreicht Kafka im letzten Viertel des Jahres 1912, einem Zeitabschnitt, in dessen Grenzen »Die Söhne« sowie der weitaus umfangreichste Teil des »Verschollenen« entstanden sind. Diese kurze Periode ist nach des Dichters eigenen Worten das Resultat einer *vollständigen Öffnung des Leibes und der Seele*, die mit der Niederschrift des »Urteils« (der ersten Sohnesgeschichte) am 23. September 1912 überraschend vollzogen war (T 293 f.). Für Kafkas Sprache bedeutet diese „Öffnung" Abkehr vom Genre der frühen, dem Impressionismus noch nahestehenden Kleinprosa und Hinwendung zu einem neuen Stil novellistischen Erzählens, wie er sich im Typus der „Geschichten" mitsamt dem ihnen zugehörigen Roman meisterhaft verkörpert.

Es stehe dahin, ob Kafka − neben Proust und Joyce − der Mitbegründer eines modernen europäischen Romans genannt werden darf. Kafkas erzählende Sprache jedenfalls ist nicht „modern". Die Sprache Goethes, Kleists oder Hebels hat der seinen dauerndere und tiefere Impulse gegeben, als die mannigfachen Sprachexperimente der zeitgenössischen Literatur, zu der sich Kafka zeit seines Lebens distanziert verhielt. Von Wichtigkeit waren, wie Wagenbach erläutert, die Deutschlektüre sowie die stilistischen Exerzitien der Prager Gymnasialzeit, durch die sich der aufmerksame Schüler eine solide, konservative Sprach- und Stilgrundlage erworben hatte. Charakteristisch für derartigen Unterricht war der Begriff der „Beschreibung", einer Kategorie der Prosa, die die Lesebücher als „klare und deutliche Darstellung eines Gegenstandes oder Ereignisses nach seinen Merkmalen oder Theilen" zu definieren pflegten[52]. Die Ergebnisse eines so frühzeitigen, durch das alsbaldige Rechtsstudium noch verstärkten Zwanges zu logischem und gegenständlichem Ausdruck lassen sich am Beispiel beruflicher Aufsätze Kafkas,

---

[52] Nach Wagenbach, F. K., e. Biographie s. Jugend, S. 55.

etwa über Versicherungspflicht oder Unfallverhütung klar ablesen. Daß die dort geübte Kunst logischer Disposition der hohen Genauigkeit seiner späteren Erzählprosa zugute kam, scheint nur natürlich. – Wo allerdings die ästhetischen Grenzen eines gleichsam diskursiven, auf Objektivität ausgerichteten Sprachgestaltens liegen, wie weit etwa die schon erwähnte Einengung der Erlebnisperspektive in den „Geschichten" als irrationaler Gegenfaktor wirksam wird, bleibt zu untersuchen.

36. Abstand

Es unterliegt keinem Zweifel, daß Kafka zumindest der Form nach an der Position des objektiven, „beschreibenden" Erzählers weitgehend festhält. Gerade in den Anfängen seiner „Geschichten", im »Urteil« oder auch im »Heizer« wird jene Gehaltenheit und Strenge zu spüren sein, die jeder einzelnen Aussage die Züge einer höheren, zeitlosen Vollkommenheit verleiht. Derartige Leistung erfordert vom Erzähler ein distanziertes und zugleich rein neutrales Verhalten zum Objekt, das naturgemäß in eine paradoxe Spannung zur gleichwohl stets beibehaltenen subjektiven Erlebnisperspektive geraten muß. Zwar erfährt also Karl Roßmann seine Umwelt völlig subjektiv und gegenwärtig, in Kategorien, die sich grammatisch als Ichform und Präsens auszudrücken hätten. Dennoch wählt Kafka – im Gewand des streng sachlichen Erzählers – die räumlich wie zeitlich distanzierenden Formen der dritten Person und des Präteritums. Paradoxerweise muß somit auch der subjektive Erlebnismittelpunkt des Ganzen – Karl Roßmann – immer wieder als Objekt des Erzählers kenntlich gemacht, die Distanz also zugleich geschaffen und aufgelöst werden[53].

---

[53] Es ist in der Tat bemerkenswert, daß die „Er"-Form eine viel einsinnigere Erzählweise gestattet als die „Ich"-Form. Zwar wäre mit jedem „Ich" die Identität Erzähler-Held immer neu bezeugt, aber gerade darum würde sich auch der Erzähler als Person immer wieder in Erinnerung bringen. Der „Ich"-Erzähler bildet mit seinem Helden, d.h. mit sich selbst, einen intimen, geschlossenen Bereich, dem der Leser zunächst fremd gegenübersteht. Die „Er"-Erzählung dagegen bleibt offen, der neutrale und unpersönliche Erzähler erleichtert dem Leser den Eintritt ins Innere des Geschehens, ermöglicht ihm eine weitgehende Identifikation mit dem Helden. Kafkas Bestreben, inneren Monolog oder direkte Rede in der „Ich"-Form zu vermeiden, läßt sich an gewissen Streichungen im MS deutlich ablesen, wie im folgenden noch erläutert wird. – Fragen der Erzähldistanz behandelt W. Kudzus am Beispiel der Romane »Der Prozeß« und »Das Schloß«.

Erzählerische Distanz — als das vorerst zu betrachtende Phänomen — wird sich vor allem dort bemerkbar machen, wo gewisse Formeln einen wirklichen Sachverhalt als subjektive, individuelle Wahrnehmung des Helden ausdrücklich bezeichnen. So heißt es zum Beispiel nicht: Dort lagen zwei junge Leute in schwerem Schlafe, sondern: *Karl sah dort zwei junge Leute, die in schwerem Schlafe lagen* (A 112), oder anstatt: Gerade stiegen in der Ferne Gäste aus einem Kellerlokal herauf: *Gerade sah Karl in der Ferne Gäste aus einem Kellerlokal heraufsteigen* (A 186). Entsprechend verzichtet Kafka gern auf die Form der „erlebten Rede", sondern kennzeichnet auch die Gedanken seiner Helden meist als subjektive Urteile. So heißt es nicht: was waren das für Widersprüche! sondern: *„Was das für Widersprüche sind!" dachte Karl* (A 63), oder *„Nun beginnt ja schon die Nacht", sagte sich Karl* (A 276). Merklicher noch wird die Distanz, wo Gedanken — wie es nicht selten geschieht — in Form der indirekten Rede erscheinen: *wenn er sich nicht gesagt hätte, daß es für ihn vielleicht besser sei, an einen Ort zu kommen, wo die Möglichkeit der Rückkehr in die Heimat keine so leichte sei. Gewiß werde er dort besser arbeiten und vorwärtskommen, da ihn keine unnützen Gedanken hindern würden* (A 124 f.).

Kafkas Neigung zu distanzierenden Sprachformen läßt sich durch einen Blick auf die Handschrift weiter verdeutlichen. Im ersten Kapitel z. B. beginnt Karl Roßmann, nach einem längeren Dialog mit dem Heizer, über seine eigene Lage nachzudenken (A 15, 9): *„Einen besseren Rat kann ich ihm nicht geben", sagte sich Karl.* — Im Manuskript folgte hierauf zunächst: „Übrigens sollte ich lieber meinen Koffer holen gehn, als hier Ratschläge geben. Es ist nur gut, daß mein Vater nichts von meiner jetzigen Lage erfährt. Als er mir den Koffer reichte, hat er im Scherz gesagt: Wie lange wirst Du diesen Koffer haben — und jetzt habe ich ihn schon fast im Ernst verloren . . ." Diese in die Ich-Form gefaßten Gedanken werden nach kurzer Weiterführung im Manuskript gestrichen und durch eine endgültige Fassung in der dritten Person ersetzt. Ebenso erscheinen Karls Überlegungen, die er kurz vor seinem Verhör durch den Oberkellner des Hotels anstellt, zunächst in der Ich-Form (A 198, 29; nach: . . . *sein wird!"*): „,Eigentlich habe ich schon meinen Posten verloren' sagte sich Karl ,der Oberkellner hat es schon ausgesprochen, und der Portier wiederholt es . . .'" (etc.). Auch hier erfolgte nach einigen Zeilen Streichung und Übertragung in die dritte Person: *Karl sah ein, daß er eigentlich seinen Posten schon verloren hatte . . .* Ähnlich erzählt auch Therese ihre Geschichte zunächst unvermittelt in der Ich-Form (A 170, 29; nach: . . .

70

verloren) die der Dichter erst nach einem seitenlangen Passus eliminiert hat[54]. –

Das Problem des Abstands hatte sich schon bei der Betrachtung des K o - m i s c h e n gestellt. Kafkas Komik entsteht an den sichtbaren Phänomenen, sie ist objektiv (s. 27). Gerade an den komischsten Stellen – Bruneldas Bad, die Suche nach dem Parfüm – wird man die Neutralität und rein beschreibende Distanz der Sprache beobachten können. So scheint der Erzähler die Komik der Sache selbst nicht zu bemerken, er bleibt unparteiisch und allein an der präzisesten Wiedergabe interessiert. Sie wird auch dort beibehalten, wo Robinson als Erzähler auftritt: *„Du rollst zum Beispiel das Faß mit Schnaps, das hinter den Kasten steht, heraus, es macht Lärm, weil es schwer ist und dort überall verschiedene Sachen herumliegen, so daß man es nicht mit einem Male durchrollen kann . . .“* (A 273 f.). Trotz individueller Sprachfärbung ist Robinson hier der rein sachliche Berichterstatter, er wahrt eine Objektivität, die zur Steigerung komischer Wirkungen nicht wenig beiträgt.

Andererseits zeigt die Geschichte der Therese, daß Kafkas Sprache auch in der Beschreibung des Schmerzlichen ihren Abstand voll bewahrt: *Die letzte Erinnerung Thereses an ihre Mutter war, wie sie mit auseinandergestreckten Beinen dalag in dem karierten Rock, der noch aus Pommern stammte, wie jenes auf ihr liegende rohe Brett sie fast bedeckte, wie nun die Leute von allen Seiten zusammenliefen und wie oben vom Bau irgendein Mann zornig etwas hinunterrief. Es war spät geworden, als Therese ihre Erzählung beendet hatte* (A 175 f.).

37. BERICHT

Noch in einer anderen Hinsicht muß die Frage nach dem erzählerischen Abstand im »Verschollenen« gestellt werden. In der traditionellen Form des Romans sind für gewöhnlich die beiden Grundmöglichkeiten des Erzählens, die Darstellung und der Bericht, zugleich und nebeneinander enthalten. Charakteristisch für die berichtende Erzählform ist der Eindruck eines relativ großen Zeitabstandes zum Geschehen, den der Erzähler schafft, um zeitlich beliebig ausgedehnte Ereignisse in geraffter Form darbieten zu können. Auch im »Verschollenen« ist von dieser Möglichkeit Gebrauch ge-

---

[54] s. Jahn, Kafkas Handschrift.

macht. Eine Tabelle hat gezeigt, wie das zweite und fünfte Kapitel (»Der Onkel« und »Hotel Occidental«) – anders als die übrigen – jeweils einen um vielfaches größeren Zeitraum umfassen (14). Da in beiden Kapiteln die Zeit nach Monaten gezählt wird, darf auf einen besonders großen Erzählabstand dort geschlossen werden. Einzelne Anzeichen scheinen das zu bestätigen:

Im Kapitel »Der Onkel« ist mit den beiden ersten Sätzen sogleich die Berichtsituation hergestellt; sie enthalten allgemeine Mitteilungen über einen Sachverhalt. Der Abstand entsteht hier durch so allgemeine Begriffe wie *Verhältnisse* und *Kleinigkeit* sowie durch die Unbestimmtheit der Zeitangaben. Die Anfänge einzelner Passus nehmen den berichtenden Ton immer wieder auf: *Vorsichtig wie der Onkel in allem war, riet er Karl, sich vorläufig ernsthaft nicht auf das geringste einzulassen* (A 49).
In den ersten Tagen, an denen selbstverständlich zwischen Karl und dem Onkel häufigere Aussprachen stattgefunden hatten ... (A 52).
Je besser Karls Englisch wurde, desto größere Lust zeigte der Onkel, ihn mit seinen Bekannten zusammenzuführen (A 54 f.).
Verhältnismäßig lange dauerte es, ehe sich der Onkel entschloß, Karl auch nur einen kleinen Einblick in sein Geschäft zu erlauben, obwohl Karl öfters darum ersucht hatte (A 57).

Vor allem durch allgemeine Angaben wie *in der ersten Zeit* und *damals*, ferner auch durch die häufigen Plusquamperfektformen wird die Vorstellung eines in die Vergangenheit zurückblickenden Erzählers geschaffen. Die zeitliche Übersicht gestattet es dem Erzähler auch, die chronologische Folge der Geschehnisse, die sich in der Vergangenheit gleichsam verwischt, aufzugeben und statt dessen eine eigene Ordnung zu setzen. Von der *ersten und wichtigsten Aufgabe*, dem Lernen des Englischen, wird erst in der Mitte des Berichts gesprochen, während das erst nach mehr als acht Tagen eintreffende Klavier schon vorher erwähnt wird. Im Kapitel »Hotel Occidental« verrät sich die berichtende Haltung durch das Vorherrschen der iterativen Aktionsart in Wendungen wie: *oft ... selten ... manchmal ... hie und da ... wenn – dann ... meist ... immer wieder ... einmal in der Woche ...* und anderen.

38. Auflösung des Berichts

Zugleich aber mit diesen Beobachtungen zeigt sich schon innerhalb der berichtenden Partien ein Prinzip, welches dem erzählerischen Abstand entgegenwirkt und ihn zu verringern trachtet. Zwar sind einzelne Abschnitte in der Weise des Berichtes eingeleitet, aber meist schon nach wenigen Sätzen erscheint die Beschreibung in voller Anschaulichkeit und Gegenwart. Die Unmittelbarkeit der szenischen Darstellung sprengt immer wieder den Rahmen der Berichterzählung. Im Kapitel »Der Onkel« bewirken dies vor allem folgende Szenen: Der großstädtische Straßenverkehr (A 48 f.), der mechanische Schreibtisch (A 50 f.), der Klaviertransport (A 52 f.), die Deklamation eines Gedichts (A 54), das morgendliche Bad (A 55 f.), das Treiben in der Reitschule (56 f.) und schließlich der Gang durch den Telephonsaal (A 58). Auch im Kapitel »Hotel Occidental« löst sich der Bericht immer wieder in einzelne Beschreibungen auf, unter anderem dort, wo vom Treiben im Schlafsaal (A 166–168), von Karls Tätigkeit im Lift (A 163–165) oder von den gemeinsamen Einkäufen mit Therese (A 169 f.) die Rede ist. Trotz verallgemeinernder Wendungen und der iterativen Aktionsart wird dort die Erzählung so plastisch, daß fast stets ein szenischer Eindruck zustandekommt. Dazu folgendes Beispiel:

Manchmal, wenn der Verkehr etwas schwächer war, konnte er auch besondere kleine Aufträge annehmen, zum Beispiel, einem Hotelgast, der sich nicht erst in sein Zimmer bemühen wollte, eine im Zimmer vergessene Kleinigkeit zu holen, dann flog er in seinem, in solchen Augenblicken ihm besonders vertrauten Aufzug allein hinauf, trat in das fremde Zimmer, wo meistens sonderbare Dinge, die er nie gesehen hatte, herumlagen oder an den Kleiderrechen hingen, fühlte den charakteristischen Geruch einer fremden Seife, eines Parfüms, eines Mundwassers und eilte, ohne sich im geringsten aufzuhalten, mit dem meist trotz undeutlichen Angaben gefundenen Gegenstand wieder zurück (A 165).

Dann und wann wird innerhalb des Berichts die szenische Gegenwart sogar ausdrücklich hergestellt, wie etwa zu Beginn und Schluß der Erzählung Thereses in den Wendungen: *Einmal erzählte Therese* ... (A 170) und *Es war spät geworden, als Therese ihre Erzählung beendet hatte* (A 176).

Wesentlich ist vor allem das Bestreben des Dichters, im formalen Rahmen der Berichtform so szenisch wie möglich zu erzählen. Der Abstand ist dabei nicht Ziel, sondern nur äußeres Mittel zur Zusammenfassung größerer Zeitperioden, wie sie der Roman als epische Form verlangt. Das Retrospektive des Berichts, das Bewußtsein des zeitlichen Abstandes zum erzählten Geschehen, geht daher im »Verschollenen« paradoxerweise fast völlig in der Unmittelbarkeit des szenischen Erlebnisses auf.

Kafkas Kunstverfahren mag durch einen Vergleich mit Dickens' Roman »David Copperfield« noch besser verständlich werden. Im Innern jenes umfangreichen Werkes befinden sich drei Kapitel (18, 43, 53), die vom Autor selbst ausdrücklich als „retrospects" überschrieben sind. Es handelt sich um raffende Zusammenfassungen längerer Handlungsperioden, um ähnliche Einschaltungen also wie im »Verschollenen«, nur ohne ausgeprägte tektonische Funktion. Schon der Titel „retrospect" stellt das Bewußtsein des zeitlichen Abstandes her, und es kündigt sich die Gegenwart des Erzählers an, der hier die Geschehnisse nach eigenem Ermessen ordnet. Dickens vermeidet nun gerade in diesen „retrospects" sorgsam die Form logisch verallgemeinernder Mitteilung. Er bietet dem Leser vielmehr eine locker gefügte Reihe szenischer Impressionen, lebendiger Darstellungen des Helden in den verschiedensten Lebensmomenten. Auch hier also wird das logische, intellektuell-distanzierende Prinzip des Berichts durch das poetische der Darstellung überwunden und aufgehoben. Das Paradoxe dieses Verfahrens zeigt sich bei Dickens noch besonders darin, daß er anstatt des sonst regelmäßig gebrauchten Präteritums gerade in den „retrospects" im Präsens erzählt, so daß sich die szenische Gegenwärtigkeit des Geschehens auch grammatisch bezeugt.

39. SZENISCHE GEGENWART

Abgesehen von den beiden „berichtenden" Einschaltungen ist im »Verschollenen« das Nacheinander der Erzählung nicht logisch, durch den Erzähler, sondern chronologisch, durch die natürliche Zeitordnung des Geschehens selbst bestimmt. Das konsequente Festhalten an dieser Regel bildet eine Grundvoraussetzung dafür, daß sich der Leser in das Erzählte einleben, sich mit der *Geschichte* identifizieren kann. Es gibt keine Zeitsprünge, die das Walten eines Erzählers verraten und so den Leser von der Unmittelbarkeit des Geschehens entfernen könnten. Wie gegenwärtig Kafka erzählt, zeigt sich gerade dort, wo die Vergangenheit des Helden zur Sprache kommt. Was wir über Karl Roßmanns Vorleben in der Heimat erfahren, wird nicht als berichtende, den Handlungsfortschritt unterbrechende Abschweifung dargeboten, sondern als Erinnerungserlebnis des Helden selbst, als Vorgang, der vor seinen Augen als gegenwärtig erscheint. Nie wird die Zeitebene der Erzählung eigentlich verlassen, sondern alles bleibt im Bannkreis der erlebten Gegenwart. Der Dichter vollbringt dies auf eine rein poetische

Weise, indem er das Vergangene wie das Gegenwärtige mit der gleichen suggestiven Anschaulichkeit darstellt und es so zu einer szenischen Einheit zusammenformt. Eines Nachts beobachtet Karl allein von Bruneldas Balkon aus einen Mann bei seiner Arbeit:

Ob dieser Mann vielleicht ein Student war? Es sah ganz so aus, als ob er studierte. Nicht viel anders – jetzt war es schon lange her – war Karl zu Hause am Tisch der Eltern gesessen und hatte seine Aufgaben geschrieben, während der Vater die Zeitung las oder Bucheintragungen und Korrespondenzen für einen Verein erledigte und die Mutter mit einer Näharbeit beschäftigt war und hoch den Faden aus dem Stoffe zog. Um den Vater nicht zu belästigen, hatte Karl nur das Heft und das Schreibzeug auf den Tisch gelegt . . . (A 294f.).

Die veränderte Zeitebene ist hier durch das Plusquamperfekt am Anfang und den rückschauenden Hinweis zwar markiert, die hohe Anschaulichkeit der Darstellung aber läßt eine wirkliche Distanz nicht zustandekommen.

Ein andermal hat Karl gerade in der Nähe von New York in einem Gasthaus Quartier bezogen und überdenkt dort bei Kerzenlicht auf einem Stuhl sitzend ein wenig seine Lage. Hier wird nun die Vergangenheit sogar im eigentlichen Sinne gegenwärtig, denn Karl hält ein Photo seiner Eltern in der Hand, so daß der Erzähler die auf dem Bild erscheinende, längst vergangene Situation im Tempus des Präteritums, welches ja hier Gegenwart bedeutet, als gegenwärtig beschreiben kann (A 117f.).

Am deutlichsten aber zeigt sich der Wille zu gegenwärtigem Erzählen in der schicksalsschweren Verführungsszene im »Heizer«, die ganz der Vorgeschichte des Romans angehört. *Im Gedränge einer immer mehr zurücktretenden Vergangenheit saß sie in ihrer Küche . . .* (A 37) heißt es dort von der Verführerin. Das Vergangene erscheint in dieser äußerst dichten Szene in schmerzlicher Direktheit, fast visionär, und unmittelbar gegenwärtig. Mit dem ersten optischen Eindruck verschwindet der Erzähler vollständig, zumal auch kein Plusquamperfekt mehr auf eine Veränderung der Zeitebene hindeutet.

Sprachlich fällt auf, wie das fünfmalige *manchmal* eine anaphorisch sich steigernde Vorbereitung schafft. Mit der Formel *einmal*, die eine noch größere Nähe zum Geschehen erzeugt, vollzieht sich dann der Übergang von einer noch iterativ gerafften zur zusammenhängenden szenischen Aktion.

Man erkennt schon hier, daß Kafkas erzählende Prosa mehr ist, als „Beschreibung" und „Ausdruck menschlicher Verstandestätigkeit". Vielmehr fließt ihre eigentümliche Kraft aus der Quelle jenes *traumhaften innern*

Lebens, dessen Darstellung dem Dichter alles andere *ins Nebensächliche* gerückt hat (T 420). Die Idee einer Zweiheit von Gegenstand und Sprache, die der rationalistische Schulbegriff auch dichterischer Prosa unterstellen will, wird daher zugunsten eines Eindringens in komplexere Sprachbereiche aufgegeben werden müssen.

40. Bildeindruck und Sprache: Ruhe

Wenn das adäquate Verhältnis zwischen Sprachstruktur und sprachlich vermitteltem Objekt — im Sinne einer Übereinstimmung von Form und Inhalt — als Kriterium für die dichterische Qualität eines Textes dienen darf, so sicherlich im Falle des »Verschollenen«. Besonders am Beispiel gewisser Analogien von Bild- und Sprachbewegung läßt sich dort derartige Einheit erläutern, wobei mit „Bildbewegung" die reale Bewegung der Dinge im Raum, mit „Sprachbewegung" die syntaktische Eigenbewegung der Sprache in Satzbau und -folge gemeint sein soll:

Es setzte sich aufs Fensterbrett und sah und horchte hinaus. Ein aufgestörter Vogel schien sich durch das Laubwerk des alten Baumes zu drängen. Die Pfeife eines New Yorker Vorortzuges erklang irgendwo im Land. Sonst war es still (A 78 f.).

Es herrscht hier eine ruhige, fast unbewegte Situation, deren Stille durch die geringen Geräusche und Regungen eher unterstrichen und veranschaulicht wird. Dem Ruhezustand entspricht in natürlicher Weise das Nebeneinander selbständiger Hauptsätze, ein Merkmal, das in anderen, ganz ähnlichen Situationen wiederkehrt:

Als er zur Besinnung kam, war es um ihn ganz finster, es mochte noch spät in der Nacht sein, vom Balkon her drang unter dem Vorhang ein leichter Schimmer des Mondlichts in das Zimmer. Man hörte die ruhigen Atemzüge der drei Schläfer, die bei weitem lautesten stammten von Brunelda, sie schnaufte im Schlaf, wie sie es bisweilen beim Reden tat (A 291 f.).

Als Karl erwachte, war es schon Abend, die Sterne standen schon am Himmel, hinter den hohen Häusern der gegenüberliegenden Straßenseite stieg der Schein des Mondes empor (A 256).

In der frischen Nachtluft, im vollen Schein des Mondes ging er einigemal auf dem Balkon auf und ab. Er sah auf die Straße, sie war ganz still, aus dem Gasthaus klang noch die Musik, aber nur gedämpft, hervor, vor der Tür kehrte ein Mann das Trottoir (A 293).

Die Fortsetzung des letzten der vier Beispiele zeigt zugleich, wie mit dem Beginn einer Bewegung die Sprache sich komplizierter zu fügen beginnt:

in der Gasse, in der am Abend innerhalb des wüsten allgemeinen Lärms das Schreien eines Wahlkandidaten von tausend anderen Stimmen nicht hatte unterschieden werden können, hörte man nun deutlich das Kratzen des Besens auf dem Pflaster (A 293).

Die Unruhe, durch das Geräusch des Besens hervorgerufen, hat hier die Erinnerung an eine andere, größere Unruhe erzeugt. Der Impuls, den die Darstellung dadurch gleichsam erhält, scheint sich in der komplizierteren hypotaktischen Sprachfügung auszudrücken. Ein anderes Beispiel mag die Analogie, die in der Ruhe der Situation und der parataktischen Anordnung der Sätze liegt, weiter verdeutlichen:

Die Brücke, die New York mit Brooklyn verbindet, hing zart über den East River, und sie erzitterte, wenn man die Augen klein machte. Sie schien ganz ohne Verkehr zu sein, und unter ihr spannte sich das unbelebte, glatte Wasserband. Alles in beiden Riesenstädten schien leer und nutzlos aufgestellt. Unter den Häusern gab es kaum einen Unterschied zwischen den großen und den kleinen. In der unsichtbaren Tiefe der Straßen ging wahrscheinlich das Leben fort nach seiner Art, aber über ihnen war nichts zu sehen als leichter Dunst, der sich zwar nicht bewegte, aber ohne Mühe verjagbar zu sein schien. Selbst in den Hafen, den größten der Welt, war Ruhe eingekehrt, und nur hie und da glaubte man, wohl beeinflußt von der Erinnerung an einen früheren Anblick aus der Nähe, ein Schiff zu sehen, das eine kurze Strecke sich fortschob. Aber man konnte ihm auch nicht lange folgen, es entging den Augen und war nicht mehr zu finden (A 125).

Nur das vermeintliche Fahren des Schiffes bringt ein wenig Regung in das sonst vollkommen ruhige Bild. Dies drückt sich auch hier in der komplizierteren Struktur des betreffenden Satzes aus, der durch die eingeschobene partizipiale Bestimmung und einen kurzen Relativsatz gleichsam selbst in Unruhe gerät. Am Schluß ist dann mit dem Verschwinden des Schiffs die Ruhe in Situation und Beschreibung wiederhergestellt. Eine ähnliche Entsprechung zeigt ein folgendes und letztes Beispiel:

Karl nickte und wunderte sich, wie vernünftig Robinson sprechen konnte. Für ihn hatten diese Ratschläge allerdings keine Geltung, er durfte hier nicht bleiben, in der großen Stadt würde sich wohl noch ein Plätzchen für ihn finden, die ganze Nacht über, das wußte er, waren alle Gasthäuser überfüllt, man brauchte Bedienung für die Gäste, darin hatte er nun schon Übung. Er würde sich schon rasch und unauffällig in irgendeinen Betrieb einfügen. Gerade im gegenüberliegenden Hause war unten ein kleines Gasthaus untergebracht, aus dem eine rauschende Musik hervordrang. Der Haupteingang war nur mit einem großen gelben Vorhang verdeckt, der manchmal, von einem Luftzug bewegt, mächtig in die Gasse hinausflatterte. Sonst war es in der Gasse freilich viel stiller geworden. Die meisten Balkone waren finster, nur in der Ferne fand sich noch hier oder dort ein einzelnes Licht, aber kaum faßte man es für ein Weilchen ins Auge, erhoben sich dort die Leute, und während sie in die Wohnung zurückdrängten, griff ein Mann an die Glühlampe und drehte, als letzter auf dem Balkon zurückbleibend, nach einem kurzen Blick auf die Gasse das Licht aus (A 275 f.).

Die lange Erzählung Robinsons ist an dieser Stelle gerade zu Ende, und eine Pause der Besinnung ist für Karl eingetreten. Der Ruhe der Situation entsprechend, schließen sich an den ersten Satz sieben selbständige kurze Hauptsätze. Erst als von Musik und dem Flattern des Vorhangs die Rede ist, erscheinen zwei relativische Erweiterungen. Wieder folgen darauf drei kurze und selbständige Hauptsätze einfachster Bauart, die von Stille und Dunkelheit sprechen, bis endlich eine Folge von Bewegungen und mit ihr ein mehrgliedriges Satzgebilde das Ganze abschließt.

41. Bewegung

Die dynamische Handlung des »Verschollenen« kennt nur wenige erzählerische Ruhepunkte, und so sind die Beispiele für Beschreibungen unbewegter Situationen nicht häufig. Allgemein läßt sich das Zustandekommen der Parataxe in jenen Fällen folgendermaßen erklären: Die dort beschriebenen Phänomene sind zwar räumlich, nicht aber zeitlich aufeinander bezogen, ihre Ordnung ist im Nebeneinander des Raumes begründet. Bei b e w e g t e n Phänomenen dagegen tritt das z e i t l i c h e Moment hinzu. Die einzelnen Phasen eines Bewegungsvorganges hängen zusammen, insofern sie auf eine gemeinsame, im Subjekt des Betrachters liegende Zeitkoordinate zu beziehen sind. Die Sprache drückt das durch einen syntaktischen Zusammenhang aus, das heißt durch die gemeinsame Abhängigkeit der einzelnen Satzglieder vom Satzsubjekt. Ein Beispiel hierfür gibt der folgende Satz; er ist der Beschreibung einer Folge von Eindrücken entnommen, die Karl im Innern eines Automobils empfängt:

In der freigehaltenen Fahrbahn aber sah man hie und da einen Polizisten auf unbeweglichem Pferde oder Träger von Fahnen oder beschriebenen, über

die Straße gespannten Tüchern oder einen von Mitarbeitern und Ordon-
nanzen umgebenen Arbeiterführer oder einen Wagen der elektrischen Stra-
ßenbahn, der sich nicht rasch genug geflüchtet hatte und nun leer und dun-
kel dastand, während der Führer und der Schaffner auf der Plattform saßen
(A 65).

Die Phänomene sind hier, absolut gesehen, vollkommen statisch und ohne
gemeinsame Zeitkoordinate. Dadurch aber, daß Karl beobachtend an ihnen
vorüberfährt, erhalten sie relative Bewegung und einen gemeinsamen zeitlichen Bezugspunkt. Dies ist sprachlich ausgedrückt durch eine Reihung
verschiedener, auf ein gemeinsames Subjekt bezogener Satzobjekte.

Ein andermal beobachtet Karl von einem ruhigen Punkt aus den an ihm
vorüberflutenden Verkehr:

Noch immer fuhren draußen, wenn auch schon in unterbrochener Folge,
Automobile, rascher aus der Ferne her anwachsend als bei Tage, tasteten
mit den weißen Strahlen ihrer Laternen den Boden der Straße ab, kreuzten
mit erblassenden Lichtern die Lichtzone des Hotels und eilten aufleuchtend
in das weitere Dunkel (A 139).

Nicht der Wechsel verschiedener Phänomene wie Polizisten, Pferde, Stra-
ßenbahnen, sondern verschiedene Bewegungsmomente des gleichen Phänomens „Automobil" sind hier beschrieben. Es reihen sich demgemäß im Satz
nicht nominale − wie im vorigen Beispiel −, sondern verbale Glieder. Das
Phänomen selbst ist Subjekt der Bewegung und daher Satzsubjekt und Mittelpunkt der zeitlichen Koordination.

So verrät sich im einzelnen Satz allein der Wille des Dichters zur Prägnanz und zur raum-zeitlichen Konzentration des Geschehens, derselbe Wille,
der auch in größeren Einheiten, in Kapiteln und Kapitelgruppen, als erstes
Kennzeichen eines dramatisch bewegten Erzählstils zu beobachten war.

42. SPANNUNG

In einem seiner Vorträge hat Friedrich Beißner den besonderen Enthu-
siasmus hervorgehoben, den Kafka für die Prosa Heinrich von K l e i s t s
empfand. Kafka − so bemerkt Beißner − „hat sein Deutsch an der gebändig-
ten Leidenschaft Kleistischer Prosa gebildet, an deren strömender Unver-
züglichkeit, deren Strenge am Widerstand des sich sträubenden Stoffes
wächst. Kafka hatte ein physisches Gefühl für diese Sprache Heinrichs von
Kleist. Als er, deißigjährig, am 11. Dezember 1913 abends in der Toynbee-

halle zu Prag öffentlich aus dem ›Michael Kohlhaas‹ zu rezitieren hatte — was ihm dann zu seinem großen Verdruß nicht seiner eigenen sehr hochgespannten Forderung gemäß gelingen sollte —, da zitterte er (wie es im Tagebuch heißt) ,am Nachmittag ... schon vor Begierde zu lesen, konnte kaum den Mund geschlossen halten'"[55].

Wie sehr Kafka in jener frühen Schaffensperiode des »Verschollenen« von Kleists Prosasprache erfüllt war, läßt sich vor allem dann recht ermessen, wenn man eine andere, frühere Untersuchung Beißners, über das Problem des Sprachrhythmus, zu Rate zieht[56]. Neben anderen Beispielen erscheint dort folgender Satz aus »Michael Kohlhaas«:

„Kohlhaas, dem sich, als er die Treppe vom Schloß niederstieg, die alte, von der Gicht geplagte Haushälterin, die dem Junker die Wirtschaft führte, zu Füßen warf, fragte sie, indem er auf der Stufe stehenblieb: wo der Junker Wenzel von Tronka sei? und da sie ihm, mit schwacher, zitternder Stimme, zur Antwort gab: sie glaube, er habe sich in die Kapelle geflüchtet; so rief er zwei Knechte mit Fackeln, ließ, in Ermangelung der Schlüssel, den Eingang mit Brechstangen und Beilen eröffnen, kehrte Altäre und Bänke um, und fand gleichwohl, zu seinem grimmigen Schmerz, den Junker nicht"[57].

Beißner lenkt nun den Blick auf das analoge Verhältnis zwischen der Eigenbewegung des Satzes und dem Bewegungsablauf des dargestellten Vorgangs: „Der Satz drängt von seinem Subjekt ,Kohlhaas' zu seinem ersten Prädikat ,fragte' hin, so wie Kohlhaas zur Auffindung des Junkers; aber die hemmenden Einschübe sind genau so zögernd, treiben genau so zur Ungeduld, stauen das Drängen genau so auf, wie die ,alte, von der Gicht geplagte Haushälterin, die dem Junker die Wirtschaft führte', mit ihren langsamen Bewegungen und ihrer ,schwachen, zitternden Stimme' die Ungeduld des suchenden Kohlhaas reizt und zum Überlaufen bringt"[58].

Die Analyse einzelner Perioden aus dem »Verschollenen« führt in der Tat zu ganz ähnlichen Ergebnissen: Schon zu Beginn des ersten Kapitels entsteht eine Situation, die jenem Beispiel aus »Michael Kohlhaas« gegenübergestellt werden kann. Als sich Karl Roßmann anschickt, das soeben eingelaufene Schiff mit der Menge der anderen Passagiere zu verlassen, ver-

---

[55] Beißner, Der Erzähler Franz Kafka, S. 27 f. – Beißner bezieht sich auf Kafkas Notiz vom 11. 12. 1913 (T 341).
[56] Beißner, Sprachrhythmus.
[57] H. v. Kleists Werke, hg. v. Erich Schmidt, Bd 3, S. 168.
[58] Beißner, Sprachrhythmus, S. 442.

mißt er seinen Regenschirm. Um ihn zu suchen, muß er sich in größter Eile wieder unter Deck begeben:

Unten fand er zu seinem Bedauern einen Gang, der seinen Weg sehr verkürzt hätte, zum erstenmal versperrt, was wahrscheinlich mit der Ausschiffung sämtlicher Passagiere zusammenhing und mußte sich seinen Weg durch eine Unzahl kleiner Räume, über kurze Treppen, die einander immer wieder folgten, durch fortwährend abbiegende Korridore, durch ein leeres Zimmer mit einem verlassenen Schreibtisch mühselig suchen, bis er sich tatsächlich, da er diesen Weg nur ein- oder zweimal und immer in größerer Gesellschaft gegangen war, ganz und gar verirrt hatte[59]. (Vgl. A 9 f.)*

Vom Subjekt *er* des Hauptsatzes hängt ein zweiter Satz ab, den die Hilfsverbform *mußte* einleitet. Von dort an wird das zugehörige Hauptverb *suchen,* das den Satz zusammenschließt, erwartet. Die Finalität der Bewegung im Raum äußert sich hier analog in der syntaktischen Finalität der Satzbewegung, denn genau so, wie sich die einzelnen Stationen – Räume, Treppen, Korridore – als Hindernisse vor das erstrebte Ziel stellen, zögern die zwischen Hilfs- und Hauptverb geschobenen Objektsbestimmungen das Satzende immer weiter hinaus.

Das sehr charakteristische Beispiel gibt Anlaß, auf einen Brief hinzuweisen, den Kafka im Jahre 1920 an Milena Jesenska, die tschechische Übersetzerin seines »Heizers« richtete. Es heißt dort: *Das ist ja das eigentlich Schöne bei Ihrer Übersetzung, daß sie treu ist . . . und daß ich das Gefühl habe, als führte ich Sie an der Hand hinter mir durch die unterirdischen, finstern, niedrigen, häßlichen Gänge der Geschichte, fast endlos (deshalb sind die Sätze endlos, haben Sie das nicht erkannt?) . . . um dann beim Ausgang im hellen Tag hoffentlich den Verstand zu haben, zu verschwinden* (BrM 47 f.)[60].

Die Bemerkung gibt darüber Aufschluß, wie klar sich Kafka jener bedeutsamen Übereinstimmung von Bild- und Sprachbewegung bewußt war,

---

[59] Kafka, »Der Heizer« (1913), S. 6. Der Satz lautet so in allen zu Kafkas Lebzeiten erschienenen Drucken. Dagegen fehlen in der ersten Ausgabe des Romans (1927) zum erstenmal die Worte: *sich seinen Weg durch eine Unzahl kleiner Räume, über kurze.* Der richtige Wortlaut wurde leider in keiner der seitherigen Ausgaben wiederhergestellt.

[60] Mit der *Geschichte* kann nur die Erzählung »Der Heizer« gemeint sein, deren Übersetzung ins Tschechische die Bekanntschaft und den Briefwechsel mit Milena erst veranlaßte. Schon in einem etwas früheren Brief lobt Kafka die Übersetzertreue Milenas, und zwar mit ausdrücklicher Bezugnahme auf den »Heizer« (BrM 21 f.). Es ist daher möglich, daß Kafka besonders auf den hier zitierten Satz anspielt.

die er selbst in der Sprache des »Verschollenen« verwirklicht hat und die wir zugleich – dank Beißners Untersuchung – als einen Wesenszug der Dichtersprache Heinrichs von Kleist kennengelernt haben.

An zahllosen Beispielen aus dem »Verschollenen« ließe sich erläutern, wie die Sprache von sich aus, mittels der ihr eigenen funktionalen Struktur, einem erzählten Vorgang zusätzliche Spannung verleihen kann; derartiges vollbringt der folgende Satz:

Er wurde, seiner Forderung entsprechend, vom Wirt mit einem Wink, als sei er ein Angestellter, die Treppe hinaufgewiesen, wo ihn ein zerrauftes, altes Frauenzimmer, ärgerlich über den gestörten Schlaf, empfing und, fast ohne ihn anzuhören, mit ununterbrochenen Ermahnungen, leise aufzutreten, in ein Zimmer führte, dessen Tür sie, nicht ohne ihn vorher mit einem Pst! angehaucht zu haben, schloß (A 112).

Das für die Gesamthandlung fast nebensächliche Hinaufsteigen in die Kammer wird durch die gestraffte, hypotaktische Form des Satzes belebt und in seiner Bedeutung gehoben. Der dargestellte Vorgang selbst erscheint durch die zahlreichen Einschübe und Erweiterungen in stärkerer zeitlicher Gedrängtheit: die ihm innewohnende eigene Finalität wird durch die Dynamik einer hochgespannten, auch hier an das Vorbild Kleists erinnernden Sprache zu einem einheitlichen Bewegungserlebnis gesteigert.

Häufig entsteht Situationsspannung, indem die Koinzidenz zweier Ereignisse sprachlich hervorgehoben wird:

Gerade streckte er sich nach einer gründlichen Waschung des ganzen Körpers, die er, seiner Nachbarin wegen, möglichst leise durchzuführen sich bemüht hatte, im Vorgenuß des Schlafes auf seinem Kanapee aus, da glaubte er ein schwaches Klopfen an einer Tür zu hören (A 155).

Das *gerade* an der Satzspitze stellt sogleich eine finale Bezogenheit des Vordersatzes auf den Nachsatz her, dessen Erscheinen aber durch den eingeschobenen Relativsatz und nominale Bestimmungen noch hinausgezögert wird. Das einfache, in der Situation selbst enthaltene Überraschungsmoment wird durch die Sprache zur Erwartung und Spannung gesteigert. – Auf die gleiche Weise kann eine schon vorhandene hohe Situationsspannung weiter gesteigert werden:

Gerade wollte er sich nach diesem Entschluß zu schnellerem Lauf zusammennehmen, um die erste Querstraße besonders eilig zu passieren, da sah er nicht allzu weit vor sich einen Polizeimann, lauernd an die dunkle Mauer eines im Schatten liegenden Hauses gedrückt, bereit, im richtigen Augenblick auf Karl loszuspringen (A 246).

Ähnliches geschieht gleich im übernächsten Satz, noch innerhalb derselben Situation:

Kaum war er zwei Sprünge weit gekommen – daß man seinen Namen gerufen hatte, hatte er schon wieder vergessen, nun pfiff auch der zweite Polizeimann, man merkte seine unverbrauchte Kraft, ferne Passanten in dieser Querstraße schienen eine raschere Gangart anzunehmen –, da griff aus einer kleinen Haustüre eine Hand nach Karl und zog ihn mit den Worten ,Still sein!' in einen dunklen Flur (A 246).

Die starke Finalität des Satzes ist hier sehr auffallend. Eine übergroße Parenthese schiebt sich wie ein gewaltiges Hindernis in das durch die beiden Pole *kaum* und *da* gebildete Spannungsfeld, dessen Entladung sie verzögert. Die Spannung der Situation steigt damit spürbar an.

43. Parenthesen

Die Parenthese ist überhaupt ein typisches Kennzeichen für den Sprachstil des »Verschollenen«. Schon ihre Häufigkeit sie erscheint dort an die hundertmal – deutet auf die Neigung zur dramatisch gespanntem Erzählen. Es wäre aber eine Vereinfachung, wollte man die Spannungswirkung der Parenthese nur darin sehen, daß sie das erwartete Satzende hinauszögert. Wie schon erläutert (s. 8), kann eine besondere Art ahnungsvoller Gespanntheit dadurch entstehen, daß die geheime und feindliche, der Perspektive des Helden entrückte Aktion in einzelnen Momenten fast greifbar hervortritt; sie regt sich in Karl als Ahnung von Gefahr und kommendem Unheil und nimmt vor allem im unheimlichen Herrn Green sichtbare Gestalt an:

Er legte übrigens Gewicht darauf – und da war es, daß Karl, der aufhorchte, als drohe etwas, von Klara darauf aufmerksam gemacht werden mußte, daß der Braten vor ihm stand und er bei einem Abendessen war –, daß er von vornherein nicht die Absicht gehabt habe, diesen unerwarteten Besuch zu machen (A 71).

Der fremde, feindliche Aktionsbereich ragt in der Parenthese gleichsam in das beschränkte Umwelterleben des Helden drohend herein.

Überdies – und dies war vielleicht das Entscheidende – hörte man plötzlich Herrn Green . . . (A 69).

Nach Aufhebung der Tafel – als Green die allgemeine Stimmung merkte, war er der erste, der aufstand und gewissermaßen alle mit sich erhob – ging Karl allein abseits . . . (A 74).

„Im allgemeinen" − und ein nicht mißzuverstehender, durch Karl etwas verdeckter Seitenblick ging auf Herrn Green −, *„im allgemeinen habe ich dieses Gefühl immer wieder, jeden Abend"* (A 92).

Im Hotel ist die feindliche Macht vor allem durch den Oberkellner und den Oberportier vertreten. Beide verbünden sich zu geheimen Maßnahmen gegen Karl, so auch in einer Szene, in der die Oberköchin an Karl das Wort richtet:

„Karl, komm einmal her", und als er zu ihr gekommen war − gleich vereinigten sich hinter seinem Rücken der Oberkellner und der Oberportier zu lebhaftem Gespräch −, umfaßte sie ihn . . . (A 215).

Jedesmal wird durch die Parenthese die selbständige Aktion des Gegenbereichs auch syntaktisch hervorgehoben. Dasselbe erreicht der Dichter durch gesperrte Satzstellung: *In diesem Augenblick, als hätte jemand hinter der Tür auf diese Äußerung des Herrn gewartet, klopfte es* (A 29). Der Anklopfende ist hier Schubal, der Obermaschinist des Schiffes, der schon längst im geheimen seine Aktion gegen den Heizer vorbereitet hat. Derjenige Teil des Satzes, der sich auf das mögliche geheime Warten hinter der Tür bezieht, erhält infolge der disjunktiven Stellung ein vermehrtes Gewicht, so daß sich die bloße Vermutung zu bedeutsamer Ahnung steigert.

Wie die schmerzliche Vorahnung der immer näher rückenden Katastrophe in Karls Empfinden einbricht, zeigt auch die folgende, kühne Parenthese:

Stattdessen aber sagte die Oberköchin nach einer kleinen Pause, die niemand zu unterbrechen gewagt hatte − nur die Uhr schlug in Bestätigung der Worte des Oberkellners halb sieben und mit ihr, wie jeder wußte, gleichzeitig alle Uhren im ganzen Hotel, es klang im Ohr und in der Ahnung wie das zweimalige Zucken einer einzigen großen Ungeduld −: „Nein, Karl, nein, nein!" (A 214).

Wie hier die Parenthese das Satzgefüge, so durchbricht gleichsam die in ihr enthaltene Aussage den Bereich der vordergründigen Wahrnehmung Karls und läßt ihn einen Augenblick lang etwas von den inneren Triebkräften der riesenhaften Hotelorganisation ahnen.

Später wird Karl von einer anderen feindlichen Macht, von Brunelda und ihrem Gefolge, überwältigt und gefangengehalten. Einmal beobachtet Brunelda von ihrem Balkon aus durch einen Operngucker die Vorgänge auf der Straße. Karl, der ebenfalls beobachtet, ist zwischen ihr und der Brüstung des Balkons eingezwängt. Brunelda hat die Arme auf seinen Schultern und hält ihm den Gucker, an dem sie ständig dreht, vor das Gesicht: *„Wann wirst du denn endlich sehen?"* sagte sie und drehte − Karl hatte nun sein

ganzes Gesicht in ihrem schweren Atem – weiter an der Schraube (A 283).
– Diesmal repräsentiert nicht der umschlossene, sondern der umschließende
Satzteil den feindlichen Bereich. Der Satz, in dem Karl das Subjekt ist, wird
von den beiden Teilen des Hauptsatzes, wie es der wirklichen Lage Karls
entspricht, umklammert. Die Sprache gibt auch hier mehr als die bloße
Beschreibung eines Zustandes: sie schafft eine lebendige und nacherleb-
bare Situation.

44. SUBJEKTIVATION

Genau so wie die mannigfachen visuellen Darstellungselemente, ja, wie
die gesamte poetische Wirklichkeit überhaupt, ist auch die S p r a c h e des
»Verschollenen« nicht nur objektives Medium des Erzählers, sondern zugleich die unmittelbare, subjektive Äußerung des zentralen Helden Karl
Roßmann, dessen besonderen Erfahrungsbedingungen sie unterliegt, und
zwar auch dann, wenn dieser selbst nicht als der Sprechende in Erscheinung
tritt. – Wiederum mögen Beispiele verdeutlichen, bis zu welchem Grade sich
Kafkas erzählende Sprache von objektiv logischen Sachverhalten zu lösen
und – paradoxerweise – in den unmittelbaren Ausdruck seelischen Erlebens
überzugehen vermag. So scheint auf den ersten Blick der folgende Satz eine
einfache, durchaus objektive Mitteilung zu enthalten: *Das Gespräch kam
auch auf Delamarche, und Karl merkte, daß er sich eigentlich durch Therese
hatte beeinflussen lassen, wenn er ihn seit einiger Zeit für einen gefährlichen
Menschen hielt, denn so erschien er allerdings Therese nach Karls Erzählungen* (A 179). Diesen Angaben zufolge ist Delamarche harmlos, und Therese irrt, wenn sie ihn für gefährlich hält. In Wahrheit aber verhält sich
alles umgekehrt: Thereses Verdacht besteht zu recht, denn Delamarche ist
wirklich gefährlich, und nur Karl befindet sich in einem verhängnisvollen
Irrtum. Dennoch hat es der Erzähler unterlassen, den Satz durch eine Formel wie: Karl glaubte sich beeinflußt . . . oder dergleichen als s u b j e k t i v e
Meinung des Helden zu kennzeichnen, was um so mehr ins Gewicht fällt,
als sich derartige Kennzeichnungen im Text sonst häufig finden (vgl. 36).
Eine vergleichbare Situation bietet »Der Fall Robinson«. Karl versteht
nicht, was das plötzliche Auftauchen Robinsons eigentlich zu bedeuten hat,
obwohl dieser sich, deutlich genug, verplappert: *„Ach ja", sagte Robinson,
„Renell ist mit Delamarche beisammen. Die beiden haben mich ja nach
Ihnen ausgeschickt"* (A 188). Diese Worte verraten das für Karl höchst ge-

fährliche Vorhaben des Trios Delamarche-Renell-Robinson. Dennoch heißt es im nächsten Satz von Karl: *Karl benützte diese und noch andere unverständliche Selbstgespräche Robinsons, um ihn vorwärts zu schieben.* Wieder bleibt hier die relativierende Formel aus, die zu besagen hätte, daß Robinsons Worte nur für den verwirrten Karl unverständlich sind. So siegt das introspektive Prinzip der Einsinnigkeit über die Konventionen der erzählerischen Objektivität.

Ein bemerkenswertes Beispiel subjektiv-einsinniger Darstellung findet sich in der Heizergeschichte an einem Höhepunkt der inneren Handlung. Nachdem soeben das Urteil über den Heizer ergangen ist, unternimmt Karl noch einen letzten Rettungsversuch und mahnt seinen Onkel und den Kapitän zur Gerechtigkeit. Der auf diese Mahnung folgende, lange Passus ist wichtig und darf daher wohl im vollen Wortlaut zitiert werden:

Und trotzdem schien der Heizer nichts mehr für sich zu hoffen. Die Hände hielt er halb in dem Hosengürtel, der durch seine aufgeregten Bewegungen mit dem Streifen eines gemusterten Hemdes zum Vorschein gekommen war. Das kümmerte ihn nicht im geringsten; er hatte sein ganzes Leid geklagt, nun sollte man auch noch die paar Fetzen sehen, die er am Leibe hatte, und dann sollte man ihn forttragen. Er dachte sich aus, der Diener und Schubal, als die zwei hier im Range Tiefsten, sollten ihm diese letzte Güte erweisen. Schubal würde dann Ruhe haben und nicht mehr in Verzweiflung kommen, wie sich der Oberkassier ausgedrückt hatte. Der Kapitän würde lauter Rumänen anstellen können, es würde überall Rumänisch gesprochen werden, und vielleicht würde dann wirklich alles besser gehen. Kein Heizer würde mehr in der Hauptkassa schwätzen, nur sein letztes Geschwätz würde man in ziemlich freundlicher Erinnerung behalten, da es, wie der Senator ausdrücklich erklärt hatte, die mittelbare Veranlassung zur Erkennung des Neffen gegeben hatte. Dieser Neffe hatte ihm übrigens vorher öfters zu nützen gesucht und daher für seinen Dienst bei der Wiedererkennung längst vorher einen mehr als genügenden Dank abgestattet; dem Heizer fiel gar nicht ein, jetzt noch etwas von ihm zu verlangen. Im übrigen, mochte er auch der Neffe des Senators sein, ein Kapitän war er noch lange nicht, aber aus dem Munde des Kapitäns würde schließlich das böse Wort fallen. − So wie es seiner Meinung entsprach, versuchte auch der Heizer, nicht zu Karl hinzusehen, aber leider blieb in diesem Zimmer der Feinde kein anderer Ruheort für seine Augen (A 41 f.).

Bei isolierter Betrachtung scheint es fast, als seien hier Gedanken und Vorstellungen des Heizers ausgedrückt. In Wahrheit aber − und das wird in zusammenhängende Lektüre sicherlich unmittelbar so aufgefaßt – handelt es sich um Karls Gedanken; denn Karl hat sich für einen Augenblick gleichsam in den Heizer verwandelt und empfindet nun die Hoffnungslosigkeit der Lage aus dessen mutmaßlicher Perspektive heraus. Damit ist die Einheit der subjektiven Perspektive nicht durchbrochen – im Gegenteil! –, denn die Identifikation besteht ja nur in Karls Vorstellung. Indem es nun der Dichter unterläßt, die eingebildete Vorstellung als solche zu kennzeichnen, löst er den erzählerischen Abstand gänzlich auf und stellt eine vollkommene Einsinnigkeit des inneren Geschehens her: die Bedeutsamkeit des Augenblicks, die Innigkeit der Empfindung kann so in ihrer ganzen Tiefe spürbar werden[61].

45. Die Sprache als Charakteräusserung des Helden

In den zuletzt genannten Fällen bedeutet das Ausbleiben objektivierender Formeln, daß die Sprache ihre Gebundenheit an das im Sinne der Romanwirklichkeit objektiv Gegebene verliert und sich damit der Form der „erlebten Rede" immer mehr angleicht. Eine wachsende Abhängigkeit des Stils von der besonderen Erlebnisweise und damit vom kindlichen Charakter Karl Roßmanns ist hiervon die natürliche Folge.

Das naive Vertrauen, zum Beispiel, das Karl so gefährlichen Individuen wie Delamarche, Robinson oder Renell entgegenbringt, ist für ihn genau so charakteristisch wie das andererseits mitunter hervortretende kindliche und unbegründete Mißtrauen. Beides sind Anzeichen von Unerfahrenheit und naiver Urteilsweise, deren Alogizität sich in gewissen Situationen sprachlich unmittelbar ausdrückt. – So spielt etwa die Nationalität des Heizers für Karl eine große Rolle, *da er viel von den Gefahren gehört hatte, welche besonders von Irländern den Neuankömmlingen in Amerika drohen* (A 11). Der Indikativ *drohen* zwingt den Leser unmerklich in die subjektive Denksphäre des Helden hinein, für den die besondere Gefährlichkeit der Irländer nun

---

[61] Ein verwandtes Phänomen hat F. Beißner in Kafkas Erzählung »Das Ehepaar« gefunden (Der Erzähler Franz Kafka, S. 31 f.). Ein alter Mann erleidet einen Schwächeanfall. Sein jüngerer Besucher, zugleich der Ich-Erzähler, glaubt den Alten zunächst tot. Als dieser sich aber schnell erholt, schreitet die Erzählung fort, als sei nichts geschehen. Der Erzähler hat darauf verzichtet, seinen Irrtum über den Zustand des Alten ausdrücklich als Irrtum zu bezeichnen, hat also auch hier den objektiven Sachverhalt vom subjektiven Eindruck nicht getrennt. (Ein Kafka-Interpret hatte den Vorgang als Erweckung eines Toten mißdeutet.)

einmal eine Tatsache ist. Damit geht gleichsam etwas von der Naivität Karl Roßmanns auf den Leser selbst über, sofern dieser sich von der „Geschichte" gefangennehmen läßt.

Daß es sich hierbei um ein echtes Stilproblem handelt, zeigen noch andere Beispiele. Auf dem Weg nach Ramses hört Karl von einigen Bauarbeitern, daß Macks Vater, der große Bauunternehmer, in seiner geschäftlichen Stellung durch Streik bedroht sei. Karl aber − so heißt es − *glaubte kein Wort von diesem Gerede schlecht unterrichteter, übelwollender Leute* (A 128). In ähnlicher Weise ist auch die Zimmerfrau des kleinen Gasthauses bei New York für Karl Gegenstand eines kaum begründeten Mißtrauens. Als sie ihn und seine Gefährten aus dem Zimmer, das für neue Gäste hergerichtet werden soll, hinausbefördert, heißt es: *sie handelte nur aus Bosheit* (A 120). − In die gleiche Kategorie gehört etwa auch der Satz: *Denn wenn der Schubal seine Hand auf etwas legt, dann ist wenig Hoffnung, daß man es unbeschädigt zurückbekommt* (A 114).

Daraus, daß in allen diesen Fällen eine relativierende Formel wie: − so glaubte Karl − oder dergleichen fehlt, darf nicht geschlossen werden, es handele sich um objektive Aussagen des Erzählers. Vielmehr ist hier die Grenze zwischen objektivem Sachverhalt und subjektivem Urteil sprachlich gar nicht mehr bezeichnet, so daß auch dem äußeren Anschein nach alles verschwindet, was den Helden vom Erzähler und damit vom Leser trennen könnte.

46. Naivität des Tonfalls

Überall dort, wo im »Verschollenen« der Erzähler völlig zu verschwinden scheint, überträgt sich Karl Roßmanns Persönlichkeit in ihrer ganzen Naivität auf Formulierung und Tonfall. Die Sprache zeigt sich dann kindlich einfach, zuweilen wie in einer gewissen altklugen Logik, aber auch wieder unsachlich und verträumt. In ihr lebt − wie Robert Musil es ausdrückt − ein „Gefühl aufgeregter Kindergebete und etwas von dem unruhigen Eifer sorgfältiger Schularbeiten und viel, wofür man keinen anderen Ausdruck als moralische Zartheit bilden kann"[62].

Wenn es auch schwer ist, das nahezu unwägbare Phänomen des Tonfalls festzuhalten, so lassen sich dennoch einige besondere Merkmale aufzei-

---

[62] Musil, Lit. Chronik, S. 1170.

gen. Ein Beiklang kindlich altklugen Wesens wird etwa vernehmlich in den häufigen Bekräftigungen:

Es schienen sich ja in dieser Straße viele Büros mittleren und unteren Ranges zu befinden ... *Er wollte ja gern, wenn es sein mußte, Geschäftsdiener werden, aber schließlich war es ja gar nicht ausgeschlossen, daß* ... ... *dieser Haushalt sah ja wirklich nicht danach aus* ... ... *was man ja im Beginn bei seiner geringen kaufmännischen Vorbildung* ... *von ihm verlangen würde* (A 303 f.).

Man stand ja hier oben wie auf der Galerie einer Kirche (A 86).

er hatte es ja vorausgesehen ..., *daß die Kameraden, von denen er ja auch Vorteile erwartete* ... (A 129) – *Dabei war die Fahrtschnelligkeit natürlich nicht immer die gleiche* (A 122) – *Natürlich bedeutet ein Liftjunge gar nichts* (A 193) – *Was die Oberköchin sagte, war natürlich sehr freundlich gemeint* (A 208) – *Es war natürlich gar nicht mehr die Rede davon* (A 146) – *wenn Streit vermieden werden konnte, war es natürlich am besten* (A 238) – *In den ersten Tagen, an denen selbstverständlich zwischen Karl und dem Onkel häufigere Aussprachen stattgefunden hatten* (A 52). –

Auch die Namensnennung mit Artikel wirkt naiv: *Eben* ... *winkte der Kapitän dem Schubal ab* (A 32) – *Robinson* ... *bat* ... *den Delamarche, er möge Karl doch helfen* (A 239) – ... *fragte der Polizeimann den Delamarche* (A 241). –

Ähnlich wirkt die Vorwegnahme adverbieller Ausdrücke: *Da faßte unversehens der Mann die Türklinke* (A 11) – *Natürlich wurde gleich das Zimmer lebendig* (A 21) – *Nun erkannte zwar Karl sofort* ... (A 232).

Einen Anflug von Naivität verrät ferner der demonstrative Gebrauch des Artikels: *Wenn nur der Heizer besser auf dem Platz gewesen wäre, aber der schien völlig kampfunfähig* (A 30) – *Karl sah zu Pollunder auf* ..., *aber der hatte die Hände in den Hosentaschen* (A 68) – *was die Gerechtigkeit seiner Sache anlangte, an der zweifelte Karl nicht* (A 23).

Als Karl Roßmann bei der Einfahrt in den New Yorker Hafen die Freiheitsstatue erblickt, faßt ihn ein Staunen: „*So hoch!*" sagte er sich ... (A 9). In der Handschrift stand hierfür zunächst: „Die ist aber großartig ...", was um eine merkliche Nuance kindlicher klingt, vielleicht zu harmlos, um etwas von der symbolischen Tödlichkeit der Statue mit ihrem Schwert spüren zu lassen. – Es mag dies neben den anderen Beispielen genügen, um auf den im Roman vielfach wirksamen Kontrast zwischen einem kindlichen, oft kinderbuchhaften Tonfall und dem dennoch stets gegenwärtigen mythischen Ernst der Aussage hinzuweisen.

Die Sprache des Erzählers Kafka muß, analog der durch sie evozierten Bilderwelt, als ein sowohl der Objektivation wie der Verinnerlichung dienendes Medium verstanden werden. Bringt sie einerseits als streng konzise, „kleistische" Erzählsprache Szenen und Situationen der poetischen Wirklichkeit „beschreibend" hervor, so ist sie stets zugleich Schöpferin des diese Wirklichkeit erlebenden kindlichen Subjekts, ist gleichsam Karl Roßmann selbst. So sind denn im »Verschollenen« ihre bekannten Merkmale: Klarheit der Form, Prägnanz und Tiefe der Aussage durch den Anhauch der Naivität, durch kindliche Arglosigkeit und Anmut in einer Weise verinnerlicht, wie dies in den späteren, gleichsam erwachsenen Werken des Dichters niemals wiederkehrt.

TEIL IV

DAS GROSSE THEATER VON OKLAHOMA

47. Karl Rossmanns Tod

Die vier Hauptstationen auf Karl Roßmanns amerikanischem Leidensweg seien durch die Stichworte: *Onkel — Hotel — Brunelda* und *Unternehmen 25* nochmals zusammengefaßt (vgl. 17). Die bloße Nennung genügt, um in der Reihenfolge der Episoden einen konsequenten sozialen Abstieg zu erkennen, auf dessen unterster Stufe sich Karl als Hilfsangestellter in einem Bordell verdingen muß. Eine Unterschreitung dieser Tiefstufe in einer etwa noch folgenden Station ist nicht nur nicht überliefert, sondern schlechterdings kaum vorstellbar. Karl Roßmanns Scheitern ist jedenfalls vollzogen, sobald er sich aus der niedersten seiner Stellungen entlassen und somit der letzten Möglichkeit einer realen Weiterexistenz beraubt findet. Diese Situation muß eingetreten sein, bevor der höchst phantastische, in einer Art Märchenwelt spielende Schlußteil des Romans anhebt, den Brod »Das Naturtheater von Oklahoma« betitelt. Genauer gesagt: Karl Roßmanns endgültiges Scheitern in der wirklichen Welt geht den Ereignissen im Kapitel »Naturtheater« zeitlich voraus.[63] Die bekannte Notiz — *Roßmann und K., der Schuldlose und der Schuldige, schließlich beide unterschiedslos strafweise umgebracht* — läßt zwar offen, wie sich Kafka den Untergang seines jugendlichen Helden vorstellte. *Umgebracht* jedenfalls wird er, wenn auch *mit leichterer Hand, mehr zur Seite geschoben als niedergeschlagen* (T 481). Man muß also nicht annehmen, daß der Dichter den Tod Karls buchstäblich und konkret zu schildern beabsichtigte, wie er es im Falle Josef K.s später getan hat. Dennoch ist dieser Tod für Karl Roßmann die unausweichliche, wenn auch nur gedachte Konsequenz seines amerikanischen Schicksals, wie

---

[63] Zwar bemerkt Emrich, daß Karl Roßmann „innerhalb der amerikanischen Arbeitswelt in der Tat beiseite geschoben und strafweise umgebracht“ wird (S. 246), will jedoch dieses Scheitern nicht als endgültig betrachtet wissen (vgl. 48, Anm. 66).

sie von der gesamten Anlage des Romans, vor allem aber vom „Mythos"
selbst klar gefordert wird[64].

48. KARL ROSSMANNS AUFERSTEHUNG

Wenn der in der wirklichen Welt verschollene Karl Roßmann – der tödlichen Logik seines Schicksals trotzend – doch noch einmal auf der Bildfläche erscheint, so wird man diese seine Auferstehung nicht falsch verstehen. Angesichts der eigenartigen Szenerie des letzten Kapitels erscheint
sie kaum noch befremdlich, denn die Welt des großen Theaters ist jenseitig
und überreal. Kafka hat sie durch eine Fülle unwahrscheinlichster Situationen und ironischer Anspielungen als eine Welt des Märchens und der
freundlichen Utopie allzu unmißverständlich gekennzeichnet. Je klarer
man nun jene Szenerie des „Theaters" als das ganze Gegenteil der vorher
geschilderten tödlichen Welt der Wirklichkeit erkennt, desto eher wird ein-
leuchten, daß hier alles möglich ist, daß Karl „in diesem ‚fast grenzenlosen'
Theater Beruf, Freiheit, Rückhalt, ja sogar die Heimat und die Eltern wie
durch paradiesischen Zauber wiederfinden werde", wie es Kafka – nach
Brods Überlieferung – „lächelnd" und „mit rätselhaften Worten" andeu-
tete. An der Richtigkeit der Überlieferung durch Brod zu zweifeln, besteht
also kein Anlaß, wenngleich offen bleibt, ob es sich hier nicht vielleicht nur
um reine Gedankenphantasie des Dichters gehandelt hat[65].

---

[64] Uyttersprot erkennt den Tod Roßmanns zwar (mit Kafka) als endgültig an, verlegt
ihn jedoch in eine von ihm postulierte Fortsetzung des Schlußgeschehens, ins ferne
und zukünftige Oklahoma (S. 72). – Ganz ähnlich Hermsdorf: „Dieses Beiseite-
geschoben-Werden, das aber einem Niedergeschlagen-Werden, dem physischen
Untergang des Helden, gleichkommt, bahnt sich offensichtlich im Naturtheater-
Kapitel an" (Kafka, S. 42).

[65] Brod selbst versteht jene Äußerungen allerdings nicht als Ironie, sondern wörtlich,
womit er zunächst in Widerspruch zur genannten Tagebuchnotiz Kafkas (*Roßmann
... umgebracht*; T 481) geriet. Später hat Brod seine Ansicht z. T. revidiert, er
räumt ein: „Roßmann ist wirklich vom Autor ‚umgebracht' worden" (Verzweifl. u.
Erlös., S. 41). Wie Emrich will er Roßmanns Tod aber nicht als endgültig an-
erkennen, sondern bemüht sich auf seine Weise um eine Lösung: „So ist auch in
›Amerika‹ zuletzt die Tragik des Menschseins überwunden. Der Mensch wird nicht
mehr erniedrigt, er ist (frei nach Hegel) in der dreifachen Bedeutung des Wortes
‚aufgehoben': vernichtet, aufbewahrt, emporgetragen" (ibid. S. 43). Auch Heuer
(S. 117) legt das Schlußkapitel optimistisch-religiös aus, als „gnostischen Ruf",
wiederum, ohne zu den Fragen der Ironie und des Todes Stellung zu nehmen.

Indessen sei davor gewarnt, in der ironisch-utopischen Traumvision des Schlusses eine „Aufhebung" des von Karl in der wirklichen Welt erlittenen tödlichen Schicksals zu sehen: die von Kafka vielsagend und ironisch als *großes Theater* bezeichnete Scheinwelt würde dann − in Verkehrung seiner Intention − als die wahre und endgültige bezeichnet werden müssen[66]. Wie wenig Wahrscheinlichkeit solchen, an Kafkas Ironie vorbeigehenden Deutungen zukommt, wird im folgenden noch deutlicher werden. Doch sei schon jetzt daran erinnert, daß dieses letzte Kapitel fast gleichzeitig mit der Erzählung »In der Strafkolonie« und in unmittelbar zeitlicher Nachbarschaft mit dem »Prozeß« dh. in der vielleicht düstersten Periode in Kafkas Leben und Schaffen entstanden ist[67].

49. DAS SCHLUSSKAPITEL − EIN EPILOG

Nicht nur das kompositorische Gesamtbild (vgl. 17), sondern auch die soeben berührten Eigenarten der Aussage verraten manches über die ganz besondere und eigentümliche Position des letzten Kapitels. Vor jeder weiteren Erläuterung scheint jedoch ein Blick auf das Manuskript hier am Platze.

Wie aus Brods Andeutungen zur sog. Dritten Ausgabe hervorgeht, muß Kafka selbst im Manuskript eine Seitenzählung vorgenommen haben. Dies

---

[66] Als solche scheint sie Emrich, ungeachtet der Ironie Kafkas, zu betrachten: im großen Theater seien „Voraussetzungen gegeben, daß jeder die in ihm wohnenden seelischen Ursprünge rein und unverstellt wiedererfährt, also auch den Eltern und der Heimat in ihren unverdeckten Naturformen wiederbegegnet" (S. 256). (Es sei hier eingeschaltet, daß der Name „Natur"-Theater von Kafka nirgends erwähnt, sondern Brods Erfindung ist.) Emrich fährt fort: „Dieses Naturtheater ist ein Theater, daß die Wahrheit der Welt spielt ... durch alle menschlichen Schwächen und unmenschlichen Schrecken leuchtet hindurch das Bild eines zweckfreien, unmotivierten Lebens, in dem Spiel und Arbeit, Theater und Wirklichkeit, Kindheit und Beruf sich verbinden und versöhnen zu einem Weltspiel, in dem ‚alle' aufgenommen sind und ihre natürliche Rolle spielen, ihr wahres Wesen ausdrücken könnten, das ‚nicht anders als geliebt werden kann'" (S. 257 f.). − Ähnlich Hermsdorf: „Es ist ein ‚Freilicht-Theater', eine Bühne, deren Kulisse sowohl wie deren Inhalt eigentliche, von der realen Widersprüchlichkeit gereinigte Wirklichkeit des Lebens bedeuten sollen" (Kafka, S. 43).

[67] Schon M. Walser hat eingesehen, „Daß Kafka einen fast ironischen Kontrast zu den vorhergehenden Kapiteln schaffen mußte, um Karl das ‚Aufgenommen' zuteil werden zu lassen. Damit beweist er indirekt, wie sehr Karl bei gleichbleibendem Verlauf des Werks zu endlosem Scheitern verurteilt gewesen wäre" (S. 97 f.).

93

bestätigen außer der erwähnten Kapiteltabelle (14) vor allem die in der Handschrift meist rechts oben vermerkten Seitennummern aus Kafkas Feder. Diese sporadische Pagination von unterschiedlicher Dichte tritt im ersten Kapitel auf und läßt sich bis in das (von Brod so genannte) »Fragment I« hinein verfolgen, stammt also offenbar aus der ersten und hauptsächlichen Arbeitsperiode des Jahres 1912[68]. – Die Blätter der wahrscheinlich viel später, im Herbst 1914 entstandenen »Ausreise Bruneldas« tragen keinerlei Seitennummern. Da die »Ausreise« ein echtes Fragment darstellt, ihre Erzählung also ohne textliche Verbindung zum Torso des Vorgeschehens einsetzt, wäre eine Paginierung hier auch sinnlos gewesen. – Um so mehr sei hervorgehoben, daß das im selben Zeitabschnitt (Herbst 1914) entstandene letzte Kapitel (»Das Naturtheater von Oklahoma«) dennoch eine eigene Paginierung aufweist. Auf den insgesamt zwölf einzelnen Blättern sind die Seiten 17, 19 und 22 von Kafkas Hand entsprechend numeriert. Zählt man zurück, so läßt sich der Anfang des Kapitels eindeutig als Seite 1 identifizieren. Sicherlich muß man hierin den vom Dichter gleichsam selbst erbrachten Beweis für die entschiedene Sonderstellung seines letzten Kapitels (samt möglicher Fortsetzung) erblicken. Die von mir schon 1961 vorgeschlagene Bezeichnung „Epilog" erhält somit auch von der Handschrift her ihre Legitimation.

50. Anspielungen auf Neutestamentliches

Von den im Schlußkapitel enthaltenen Anspielungen auf biblische, vor allem neutestamentliche Themen ist in mancherlei Veröffentlichungen die Rede. Die nun folgende Aufzählung soll, als Grundlage für das Weitere, ermitteln, von welchen Motiven aus eine solche Bezugnahme möglich ist.

Schon das Plakat der Werbetruppe am Eingang des Kapitels ruft, gleichsam als Exposition, neutestamentliche Erinnerungen hervor: *Das große Theater von Oklahoma ruft euch!... Wer an seine Zukunft denkt, gehört zu uns!... Wer sich für uns entschieden hat, den beglückwünschen wir gleich hier!... Auf nach Clayton!* (A 305). Hierin scheint etwas vom Ton der großen Verheißungen nachzuklingen, wie sie vor allem am Schluß der Offenbarung Johannis wiederholt zu finden sind. (s. Offenb. Joh. 19,17 u. 22,17.) Das für den Helden so unendlich wichtige Wort: *Jeder ist willkommen!* (A 305) hat im Neuen Testament die Bedeutung einer Kernformel

---

[68] vgl. Pasley/Wagenbach, Versuch einer Datierung, S. 153 f.

und erscheint dort in den mannigfaltigsten Ausprägungen. Die Warnung: *Aber beeilt euch, damit ihr bis Mitternacht vorgelassen werdet! Um zwölf Uhr wird alles geschlossen und nicht mehr geöffnet!* (ebenda) erinnert in den Hauptpunkten an das Gleichnis von den zehn Jungfrauen (Matth. 25). Endlich läßt auch die Wendung *Verflucht sei, wer uns nicht glaubt!* an eine ähnliche Fluchformel am Schluß der Offenbarung Johannis denken (Offenb. Joh. 22,20).

Daß das *große Theater* in seiner inneren Organisation an eine Art biblisches Programm – wenn auch in verhüllter Form – gebunden ist, zeigen die ersten Eindrücke vom Rennplatz in *Clayton*. Das einleitende Bild der trompetenden Engel (A 307) ist in seiner drastischen Deutlichkeit schon mehr als bloße Allusion (vgl. Matth. 24,31). – In einem für das Weitere bedeutsamen Akt wird Karl als *technischer Arbeiter* in das Theaterunternehmen aufgenommen (A 323 f.) Ein auf der Schiedsrichtertribüne jovial thronender Herr fällt die Entscheidung – oder wenigstens die Vorentscheidung –, die für Karl die Tragweite eines Gerichtsspruchs besitzt (A 320). Hier liegt ein Vergleich mit folgender Bibelstelle am nächsten, in der es heißt: „ . . . dann wird er sitzen auf dem Stuhl seiner Herrlichkeit; / Und werden vor ihm alle Völker versammelt werden. Und er wird sie voneinander scheiden . . . " (Ev. Matth. 25,31 u. 32). Nicht unmöglich ist auch eine direkte visuelle Beziehung zur Offenbarung Johannis (20,11): „Und ich sah einen großen, weißen Stuhl, und den, der drauf saß . . . ", die das Jüngste Gericht betrifft. Kafkas Richter trägt über der Brust ein *breites weißes Seidenband* als Zeichen seiner Würde (A 320). Wie die Motivvergleichung im Anhang zeigt, sind solche scheinbar nebensächlichen, optischen Details bei Kafka oft als assoziative Nachwirkungen eines bestimmten Vorbilds von Bedeutung. Der hier gemeinte Richter und Personalchef schließt sein kleines Verhör mit den Worten: *In Oklahoma wird alles noch überprüft werden* (A 324). Damit wird der endgültige Entscheid von einer letzten und höchsten Instanz abhängig gemacht. Dies wiederum setzt voraus, daß Karls Fall gewissermaßen aktenkundig ist. Die Offenbarung Johannis (20,12) schildert die Situation einer solchen Prüfung: „Und ich sah die Toten, beide, groß und klein, stehen vor Gott; und Bücher wurden aufgetan, und ein ander Buch ward aufgetan, welches ist des Lebens. Und die Toten wurden gerichtet nach der Schrift in den Büchern, nach ihren Werken". In Clayton erfährt Karl freilich nur einen Vorgeschmack auf jenes Künftige: *In der Kanzlei für Ingenieure saßen an den zwei Seiten eines rechtwinkeligen Pultes zwei Herren und verglichen zwei große Verzeichnisse, die vor ihnen lagen. Der eine las vor, der andere strich in seinem Verzeichnis die vorgelesenen Namen an. Als Karl grüßend vor sie hintrat, legten sie sofort die Verzeichnisse fort und nahmen andere große Bücher vor, die sie aufschlugen* (A 316).

Der wirkungsvollste Akt des Geschehens in Clayton ist das große öffentliche Mahl, eine Art krönender Schlußzeremonie, an der auch Karl teilnimmt. Er erscheint als letzter an der Tafel, denn seine Abfertigung in der *Kanzlei für europäische Mittelschüler* hat sich verzögert (A 327). Vielleicht ist die Anspielung auf Biblisches hier am deutlichsten. Von mehreren Bezugsmöglichkeiten sei nur eine genannt: „Und es werden kommen vom Morgen und vom Abend, von Mitternacht und vom Mittage, die zu Tische sitzen werden im Reich Gottes. / Und siehe, es sind Letzte, die werden die Ersten sein, und sind Erste, die werden die Letzten sein" (Luc. 13,29.30).

Während des Essens darf Karl eine Abbildung des Theaters von Oklahoma betrachten. Sie stellt *die Loge des Präsidenten der Vereinigten Staaten* dar, überwältigend in ihrem königlichen Prunk. *Rings um die Loge, von den Seiten und von der Höhe, kamen Strahlen von Licht; weißes und doch mildes Licht enthüllte förmlich den Vordergrund der Loge, während ihre Tiefe . . . als eine dunkle, rötlich schimmernde Leere erschien. Man konnte sich in dieser Loge kaum Menschen vorstellen, so selbstherrlich sah alles aus* (A 327). Der Präsident steht als höchste Instanz über dem Theater. Er thront im Licht, bleibt aber in seiner Größe dem menschlichen Einblick entzogen.

Vor allem kommt es darauf an, zu zeigen, wie die verschiedenen, scheinbar willkürlich gewählten und unvermittelten Einzelmotive in ihrem gemeinsamen Bezug auf neutestamentliche Vorstellungen einen organischen Sinnzusammenhang sichtbar werden lassen, der sich aus der chronologischen Abfolge ergibt. Die folgende Skizze soll diesen Zusammenhang veranschaulichen. Sie vergleicht die Chronologie der im Neuen Testament enthaltenen Jenseitsmotive mit der Chronologie der Anspielungen im Schlußkapitel:

Das Neue Testament

Motive:		Ruf	Gericht	Mahl
Stationen:	Diesseits	Totenreich	(Auferst.)	Gottesreich (Erlös.)

Ende des »Verschollenen«

Motive:		Ruf – Gericht – Mahl	–
Stationen:	Untern. Nr. 25	Clayton	(Theater v. Oklahoma)

Im Neuen Testament ist das M a h l das einzige anschauliche Motiv, das klar dem Erlösungsbereich angehört. Kafka nimmt dieses wesentliche Motiv schon in den Übergangsbereich (Clayton) herein, so daß der Erlösungsakt schon hier vollzogen scheint. Auch die Vision des *großen Theaters* samt seinem unsichtbaren *Präsidenten* ist ja schon in jener Abbildung vorweggenommen, die Karl während des Mahles in Clayton betrachten darf (A 327). Hält man an der Beziehung zum Neuen Testament fest, so ist es nur schwer vorzustellen, welche Motive für eine geplante Fortsetzung hätten in Frage kommen können. Es ist daher um so weniger wahrscheinlich, daß die Konzeption einer Fortsetzung überhaupt bestanden hat. –

An Zeugnissen für Kafkas Beschäftigung mit Ideen des Neuen Testaments fehlt es nicht. Im Sommer 1912 verbringt der Dichter einen mehrwöchigen Erholungsurlaub im „Naturheilsanatorium Jungborn" im Harz (T 667–682). Dort findet er Muße für eine intensive Gedankenarbeit am »Verschollenen« (vgl. 72) und zeigt sich für alle möglichen Anregungen aus der ein wenig verschrobenen Gilde der dortigen Naturisten aufgeschlossen. Mit ihnen singt er Choräle, studiert die *Evangelische Missionszeitung*, diskutiert mit Methodisten und Mitgliedern der *Christlichen Gemeinschaft*, liest täglich ein Kapitel aus der Bibel und besucht den evangelischen Gottesdienst (T 668–672). Aus den Tagebuchaufzeichnungen jener Zeit spricht das distanzierte, ein wenig selbstironische Interesse des Dichters, der hier seine Ferien vom Ich verbrachte. Er liebt die idyllische Welt des Naturheilsanatoriums, die, lächerlich zwar, aber auch wieder rührend und voller Anziehungskraft, die Illusion eines glücklichen und unbeschwerten Lebens vorübergehend zu wecken vermochte.

51. Das Schlusskapitel als Travestie

Es darf nicht vergessen werden, daß eine transzendente Bezogenheit des Geschehens in der Erzählung nirgends ausdrücklich bestätigt ist. Bei aller Deutlichkeit der Anspielung werden die neutestamentlichen Bilder nicht einfach genannt oder als solche dargestellt, sondern sie erscheinen in verwandelter und verhüllter Gestalt. So ist zum Beispiel das öffentliche Mahl in Clayton nicht schlechthin eine Darstellung des Mahles der Armen, sondern dessen travestierte Nachahmung. Diese Unterscheidung ist sehr folgenreich: sie bedeutet, daß die in Clayton ausgesprochene Verheißung, ja, daß das ganze große Theater überhaupt als eine Travestie biblischer Jenseitsvorstellungen anzusehen ist. Erst wenn wir dies als das Wesentliche erkennen, erschließt sich die i r o n i s c h e Absicht und damit zugleich Sinn und Bedeutung dieses Nachspiels[69].

Je deutlicher die Motive auf den Bereich des Biblischen anspielen, desto deutlicher tritt auch die große Entfernung zwischen ihnen selbst und dem Gemeinten, zwischen Erscheinung und Idee, ins Bewußtsein. Allgemeine menschliche Einrichtungen wie Bote, Buch, Richter, Mahlzeit, Fürst, die als Allegorien im Neuen Testament ihren fest geprägten transzendenten Inhalt besitzen, erscheinen im Oklahoma-Kapitel so, als sei ein solcher Inhalt gar nicht vorhanden; sie erscheinen als Werbekomparsen, Geschäftsbuch, Personalchef, Massenspeisung und Staatspräsident, das heißt als buchstäbliche und darum lächerliche, in sich widersprüchliche Materialisationen geistlicher Bedeutungsinhalte. Es ist dieselbe Widersprüchlichkeit wie sie − in Kafkas Augen − der christliche Erlösungskult selbst besitzt, worin Realität (für Kafka: Verdammnis) und Idee (Erlösung) nicht zur Deckung gelangen. Die Inkongruenz zwischen dem Optimismus des Heilsversprechens und der wirklichen Heillosigkeit des Daseins ist hier also G e g e n s t a n d der Persiflage. Dies drückt sich in der Phantastik, Widersprüchlichkeit − und somit auch Lächerlichkeit einzelner Bilder und Motive folgerichtig aus (vgl. 67)[70]. − Mehr noch als das Neue Testament selbst hat Kafka wohl jene vereinfachenden, allzu naiv-optimistischen Auslegungen gewisser Sekten im Sinne gehabt[71]. Besonders das „Naturheilsanatorium" mag hier entscheidende Anregungen vermittelt haben. Von hier aus ist auch die Brücke zum Stoffkreis Amerika leicht zu schlagen, denn gerade dieses Land war von jeher Zuflucht und Heimat mannigfacher Sekten und religiöser Massenbewegungen. Viel von dem großen Aufwand, dem missionarischen Übereifer und den mitunter recht grellen und aufdringlichen Werbemethoden solcher Organisationen scheint in den Schilderungen der Werbetruppe anzuklingen.

---

[69] Hierzu Hermsdorf: „Man könnte in der Prozedur der ‚Aufnahme' eine spielerische Verarbeitung von Motiven des Jüngsten Gerichts erkennen, die freilich im Sinne einer ironischen Travestie verwendet werden" (Kafka, S. 43). Dieser an sich richtige Hinweis auf Kafkas Auferstehungsallegorik dürfte sich allerdings kaum mit Hermsdorfs Ansicht vereinbaren lassen, in Oklahoma stehe Karl Roßmanns physischer Tod bevor (s. 47, Anm. 64).

[70] Wenn Kafka gleichzeitig „Mysterienspiel und Operette" auf derselben Bühne inszeniert, so hat dies seinen hintergründigen Sinn. Es muß sich darum nicht − wie Politzer meint (S. 233 f.) − um eine „mißratene Allegorie" handeln.

[71] Jedenfalls aber das, was Schopenhauer den „platten Optimismus" nennt, in den das Christentum „in neuerer Zeit" ausgeartet sei. (Die Welt als Wille und Vorstellung I, 70.)

Als der Zug zu fahren begann, winkten sie mit den Händen aus dem Fenster, während die Burschen ihnen gegenüber einander anstießen und es lächerlich fanden (A 330 f.). Nach diesen Worten, gegen Ende des letzten Kapitels, folgt ein im Manuskript deutlich sichtbarer Absatz, der durch eine von Kafkas Hand daruntergesetzte gestrichelte Linie noch ausdrücklich markiert ist. Der folgende, mit den Worten *Sie fuhren zwei Tage und zwei Nächte* beginnende letzte Passus bis *daß der Hauch ihrer Kühle das Gesicht erschauern machte* (A 331), muß daher vom Dichter selbst als der Beginn eines weiteren, nicht fortgeführten Kapitels betrachtet worden sein.

Erinnert man sich nochmals an jene (von Brod überlieferte) Bemerkung Kafkas, „daß sein junger Held in diesem ‚fast grenzenlosen' Theater Beruf, Freiheit, Rückhalt, ja sogar die Heimat und die Eltern wie durch paradiesischen Zauber wiederfinden werde" (A 356 f.), so scheint die Frage nach dem Inhalt der geplanten Fortsetzung hinreichend beantwortet, und dies um so eher, als durch den ironisch transzendierenden Charakter des Nachspiels ein Widerspruch zum tragischen Ausgang des in der Realität handelnden Teils der Erzählung nicht entsteht (vgl. 48).

Nun hat Kafka – aus welchen Gründen auch immer – auf eine erzählerische Ausführung seiner ironischen Paradiesesvision verzichtet und sich damit begnügt, gewissermaßen nur den Vorhof des Paradieses – das Aufnahmebüro in Clayton – abzuschildern. Er stand damit vor einer sehr ähnlichen Situation wie schon im Falle der »Ausreise Br-neldas«, einem fragmentarischen Produkt der selben Arbeitsperiode (Herbst 1914). Zwar wird Karl Roßmanns Ankunft im *Unternehmen Nummer 25* eben noch sichtbar, doch deutet allein die offenbar nur als Euphemismus mögliche Benennung der Sache, sowie Karls spätere Auskunftsverweigerung (A 322) darauf hin, daß die weiteren Vorgänge und Verhältnisse dortselbst gar nicht mehr erzählbar sind. – Vergleichbar erscheint mir der Fall des *großen Theaters von Oklahoma*. Die dort entwickelten Verhältnisse sind von vornherein als unwirklich gedacht, sind die euphorische Projektion einer unerfüllbaren Verheißung, die durch die grausame Lebenswirklichkeit, wie sie im Hauptteil des Romans vorherrscht, längst als widerlegt gelten muß. Unter diesen Vorzeichen wäre die Gestaltung einer Rückkehr Karls in die Heimat, des Wiedersehens mit den Eltern etc. eine Aufgabe, deren erzählerische Durchführung man sich – selbst angesichts der schon geleisteten Phantastik – kaum vorstellen kann. In ihrer Auflösung der Realität bieten die Anwer-

99

bungsszenen zu Clayton bereits ein äußerstes. Daß Kafka sein surrealistisches Konzept nicht weiter auszugestalten versuchte, leuchtet ein: die innere Wahrhaftigkeit und Logik der Idee konnte letztlich wohl nur durch den Verzicht auf erzählerische Realisation gewahrt bleiben. So sollte man sich denn bequemen, die fragmentarische Gestalt des Romans als gültige, künstlerische Form anzuerkennen, um so mehr, als in ihr Kafkas Idee vollständig und ungebrochen enthalten ist[72]. Es sei erinnert, daß auch das erste Kapitel des Romans, »Der Heizer«, vom Dichter selbst als *Fragment* veröffentlicht worden ist, gerade w e i l die poetische Einheitlichkeit dieser „Geschichte" keinem Zweifel unterliegt (vgl. 1).

Ähnlich wird man auch das Schlußkapitel (mitsamt seinem Fortsatz) als einheitliches, erzählerisch ausgewogenes Phantasiegebilde empfinden. Der Schluß des überlieferten Texts schildert eine Eisenbahnfahrt, deren Ziel die Ankunft im fernen Oklahoma sein soll. Das Kapitel verrät nichts über eine tatsächliche Ankunft, noch über weiteres Geschehen. Der Vorgang der Anwerbung ist vollständig erzählt, Karls Aufnahme in das Theater — mag sie auch als vorläufig gelten — sichtbar vollzogen. So wird denn auch eine kausale Notwendigkeit der Fortsetzung hier kaum empfunden. Denkt man sich nun die Bahnfahrt am Schluß als einen offenen Ausblick in die Zukunft, als eine Prophezeiung, die das endgültige Ziel nur andeutet, so ergibt sich für das bis dahin Erzählte ein vollständiger, einheitlicher Sinnzusammenhang, der durch den in sich geschlossenen Kreis der neutestamentlichen Anspielungen vom Hintergrund her noch ergänzt wird. — Kafka liebte dieses Kapitel, dessen Selbständigkeit er sicherlich empfand, ganz besonders: er hat es, wie Brod überliefert, Weihnachten 1914 im Kreise seiner Freunde mit starker innerer Anteilnahme vorgetragen.

53. Zur Bedeutung der Namen Oklahoma und Negro

Außer den genannten deutlichen Anspielungen enthält das Schlußkapitel auch solche, die allein vom Text her nicht zu identifizieren sind. Ein Beispiel dafür bieten die Namen *Oklahoma* und *Negro*[73]. *Negro* lautet bekanntlich

---

[72] In Kafkas imaginärem (nicht gestalteten) Schlußbild sieht dagegen Uyttersprot die eigentliche Hauptsache des Romans, „den wohl wichtigsten Abschnitt, in dem Roßmanns Geschick sich erfüllen sollte" (S. 73). —

[73] Für *Negro* stand ursprünglich im MS überall ein (von Kafka später gestrichenes) „Leo". Dieser Name (Leo) enthält keine besondere Anspielung, deutet aber wieder-

Karl Roßmanns *Rufname aus seinen letzten Stellungen* (A 318), unter dem er sich der Aufnahmebehörde des Großen Theaters vorstellt. Das englische Wort „negro" bedeutet „Neger". Blättert man in Arthur Holitschers berühmtem Amerika-Buch, dem Kafka viele stoffliche Anregungen verdankt, so findet man dort, auf Seite 367, eine photographische Textabbildung folgenden Inhalts: An einem jungen Neger ist soeben das Lynch-Urteil vollstreckt worden. Er hängt tot an einem Baum, umstanden von einer Gruppe weißer Männer mit steifen Hüten und zufriedenen Gesichtern – offensichtlich seinen Henkern. Die Unterschrift lautet zynisch: „Idyll aus Oklahama". Die falsche Schreibweise „Oklahama" (statt richtig: „Oklahoma") findet sich auch überall in Kafkas Manuskript. (Brod hat den Fehler in seinen Ausgaben beseitigt.) Die Herkunft beider Namen dürfte damit geklärt sein. Sie verbergen einen Hinweis auf den Tod Karl Roßmanns, der – wie erläutert – die Voraussetzung dieses Epilogkapitels bildet. Hierin Anspielungen auf eine etwa später zu schildernde, buchstäbliche Tötung Karls zu sehen, ginge allerdings zu weit. Vielmehr scheint auch hier das Symbol (wie die schon bekannten Zeichen der Verführung und des Todes) an die Stelle des realen Vorgangs getreten zu sein, dessen physische Darstellung Kafka gerade im »Verschollenen« umgangen hat. Die enigmatische, zur Auflösung nicht bestimmte Form der Andeutung ist bemerkenswert, doch finden sich auch im übrigen Werk Kafkas Beispiele ähnlichen Verfahrens. Wie Pasley dargelegt hat, tragen vor allem die Prosastücke »Elf Söhne« und »Der Jäger Gracchus« durchweg enigmatischen Charakter[74].

54. Sprachliche Eigenarten

Das bisher gewonnene Bild von der Eigenart und besonderen Stellung des Schlußkapitels mag durch einen Hinweis auf sprachliche Merkmale noch ergänzt werden. Beinahe auf den ersten Blick bemerkt man im Text eine Häufung einfach gebauter, relativ selbständiger Hauptsätze:

um auf die Person Kafkas. Jedenfalls erscheint derselbe Name bereits in einer kleinen, fragmentarischen Dialogszene Kafkas vom 15. August 1913 (T 317 f.). Dialogpartner sind die Eheleute „*Leopold S.*" und „*Felice S.*", mit denen offensichtlich Franz Kafka selbst und seine Braut Felice Bauer gemeint sind. „*Felice S.*" nennt ihren Mann ausdrücklich „*Leo*" (T 317).

[74] Pasley, Two Kafka Enigmas. – Mit enigmatischen Charakterzügen in Kafkas Dichtung setzt sich Walter Muschg auseinander. Er schlägt vor, Kafkas Kunst überhaupt „als Rätselkunst zu bezeichnen" (S. 161 f.).

Es standen zwar viele Leute vor dem Plakat,
aber es schien nicht viel Beifall zu finden.
Es gab so viele Plakate,
Plakaten glaubte niemand mehr.
Und dieses Plakat war noch unwahrscheinlicher, als
Plakate sonst zu sein pflegen.
Vor allem aber hatte es einen großen Fehler,
es stand kein Wörtchen von der Bezahlung darin.
Wäre sie auch nur ein wenig erwähnungswert gewesen,
das Plakat hätte sie gewiß genannt;
es hätte das Verlockendste nicht vergessen.
Künstler werden wollte niemand,
wohl aber wollte jeder für seine Arbeit bezahlt werden (A 305).

Durch die wiederholte Nennung des Subjekts *Plakat* wird die Unabhängigkeit des einzelnen Satzes jedesmal neu hergestellt. Eine ähnliche Tendenz wirkt auch in den folgenden Sätzen:

es gab ganz niedrige Frauen, nicht weit über Lebensgröße, aber neben ihnen schwangen sich andere Frauen in solche Höhe hinauf, daß man sie beim leichtesten Windstoß in Gefahr glaubte. Und nun bliesen alle diese Frauen (A 307).

Parataktische Satzreihung ist zwar gelegentlich und als Ausnahme auch in anderen Kapiteln zu beobachten (40). Hier aber ist dieses Phänomen nicht nur im einzelnen stärker betont, sondern überhaupt das beherrschende sprachliche Charakteristikum. Statt syntaktisch unterzuordnen – wie: er überrechnete sein Geld, das ohne diese Fahrt für acht Tage gereicht hätte und schob die kleinen Münzen auf der flachen Hand hin und her – wählt der Dichter die Nebenordnung: *Er überrechnete sein Geld, es hätte ohne diese Fahrt für acht Tage gereicht, er schob die kleinen Münzen auf der flachen Hand hin und her* (A 306). – Bezeichnend ist auch die folgende Wendung: *Aber dann flüsterte die Frau etwas ihrem Manne zu, er nickte, und sie rief gleich Karl an (A 308).* Eine Bindung wie: ... und da er nickte, rief sie ... wäre hier zu erwarten gewesen.

Zur Demonstration des eigenartigen, durch die Häufung der Parataxe bedingten lakonischen Tonfalls seien noch zwei weitere Beispiele genannt:

Nur ein einziger älterer Mann war zu sehen,
er stand ein wenig abseits.
Er hatte gleich auch seine Frau und ein Kind im Kinderwagen mitgebracht.

Die Frau hielt mit der einen Hand den Wagen,
mit der anderen stützte sie sich auf die Schulter des Mannes.
Sie bewunderten zwar das Schauspiel,
aber man erkannte doch, daß sie enttäuscht waren.
Sie hatten wohl auch erwartet, eine Arbeitsgelegenheit zu finden,
dieses Trompetenblasen aber beirrte sie.
Karl war in der gleichen Lage (A 307 f.)

Die Leute auf dem Bahnhof zeigten einander die Truppe,
man hörte Ausrufe wie:
‚Alle diese gehören zum Theater von Oklahoma!‘,
das Theater schien viel bekannter zu sein, als Karl
angenommen hatte,
allerdings hatte er sich um Theaterdinge niemals gekümmert.
Ein ganzer Waggon war eigens für die Truppe bestimmt,
der Transportleiter drängte zum Einsteigen mehr als der
Schaffner (A 330).

Kompliziertere, mehrgliedrige Satzgebilde sind in der Minderzahl und nur gelegentlich eingefügt. Die Eigenart auch der sprachlichen Gestalt dieses Kapitels muß daher im Zusammenhang mit dessen besonderer Stellung und Bedeutung gesehen werden: als Nachspiel und Ausblick fehlt ihm die streng kausale Geschlossenheit der übrigen Kapitel. Zugleich mit der Lockerung der wechselseitigen Bedingtheit der einzelnen Handlungselemente ist die Vorherrschaft der streng geschlossenen, hypotaktischen Sprachformen zu Ende. Aufgelöste, unverbundene Formen treten an ihre Stelle. Das Ergebnis zeigt, daß sich auch hier – wie stets bei Kafka – Aussage und Sprachform zu natürlicher Stileinheit ergänzen.

TEIL V

WELTBILD

55. KARL ROSSMANNS SEHWEISE

Schon zu Beginn dieser Studie habe ich, anknüpfend an eine Beobachtung Friedrich Beißners, auf ein für Kafkas Dichtung überhaupt typisches Stilmerkmal hingewiesen: die „Einsinnigkeit" der Perspektive (vgl. 3). Je stärker Kafka aus dem — stets mehr oder weniger beschränkten — Blickwinkel eines und desselben Helden heraus erzählt, desto mehr müssen Charakter, intellektuelle Veranlagung, Temperament, muß die gesamte seelische Disposition dieses Helden den besonderen Stil des Erzählens formen und bestimmen. Die intellektuelle Reife der beiden erwachsenen K.s, ihr ausgeprägtes Abstraktionsvermögen, sind subjektive Erfahrungsbedingungen, auf welche sich der gestaltete Wirklichkeitsausschnitt folgerichtig reduziert. Ist aber nun der Held — wie Karl Roßmann — eine kindlich-einfältige Natur, so gewinnt der Roman allein hierdurch sein eigenes, naives Gepräge. Schon Sprache und Tonfall des Ganzen werden durch Karl Roßmanns Kindlichkeit mitbestimmt (vgl. 46), woraus die besondere, einst von Robert Musil so gerühmte abenteuer- und kinderbuchhafte Atmosphäre entsteht[75].

Ein folgenreicher Zug kindlichen Erlebens ist der Mangel an intellektueller Konzentration, die Unfähigkeit zu anhaltend diskursivem Denken überhaupt, durch die sich der unerwachsene Karl von den Helden der späteren Romane unterscheidet. Wenn diese in unermüdlicher Dialektik durch logisches, oft sophistisches Fragen, Vermuten und Folgern die kausale Gesetzlichkeit ihrer Umwelt zu durchschauen bemüht sind, so ist Karl Roßmann hiervon weit entfernt. Unschuld und Erfahrungsmangel hindern ihn immer wieder, selbst den vordringlichsten Existenzproblemen Raum zu geben. Um mit einem von Kafka später oft gebrauchten Gleichnis zu sprechen: Karl Roßmann hat, im Gegensatz zu den erwachsenen Helden der K.-Romane, vom Baum der Erkenntnis noch nicht gegessen.

---

[75] Musil, Lit. Chronik, S. 1170. – Kafka hat Karls Alter von ursprünglich 17 (im MS) auf 16 Jahre reduziert.

Der geringen Neigung des Helden zu diskursiver Wirklichkeitserkenntnis entspricht andererseits die Fähigkeit, seine Umwelt auf sinnliche, vorwiegend visuelle Weise aufzunehmen. Das zeigen schon die beiden Anfangssätze des »Heizers«, in denen allererste Wahrnehmungen Karls enthalten sind. Noch auf dem Schiff erblickt er *die schon längst beobachtete Statue der Freiheitsgöttin wie in einem plötzlich stärker gewordenen Sonnenlicht. Ihr Arm mit dem Schwert ragte wie neuerdings empor, und um ihre Gestalt wehten die freien Lüfte. / ‚So hoch!' sagte er sich und wurde, wie er so gar nicht an das Weggehen dachte, von der immer mehr anschwellenden Menge der Gepäckträger, die an ihm vorüberzogen, allmählich bis an das Bordgeländer geschoben* (A 9). Kindliche Gedankenlosigkeit, der Hang zu vorwiegend anschauender Betrachtung, das Bereitsein, sich durch fremde Phänomene faszinieren zu lassen, drücken sich in Karl Roßmanns Verhalten immer wieder aus. So etwa, wenn er den übertrieben sinnreichen Patentschreibtisch im Hause des Onkels bestaunt: *man konnte durch Drehen an einer Kurbel die verschiedensten Umstellungen und Neueinrichtungen der Fächer nach Belieben und Bedarf erreichen. Dünne Seitenwändchen senkten sich langsam und bildeten den Boden neu sich erhebender oder die Decke neu aufsteigender Fächer; schon nach einer Umdrehung hatte der Aufsatz ein ganz anderes Aussehen, und alles ging, je nachdem man die Kurbel drehte, langsam oder unsinnig rasch vor sich* (A 50 f). − Wie sehr ein solches Anschauen kindlicher Erfahrungsweise entspricht, hat Kafka mit den hierauf folgenden Sätzen − wiederum bildlich − angedeutet: *Es war eine neueste Erfindung, erinnerte aber Karl sehr lebhaft an die Krippenspiele, die zu Hause auf dem Christmarkt den staunenden Kindern gezeigt wurden, und auch Karl war oft, in seine Winterkleider eingepackt, davor gestanden und hatte ununterbrochen die Kurbeldrehung, die ein alter Mann ausführte, mit den Wirkungen im Krippenspiel verglichen, mit dem stockenden Vorwärtskommen der Heiligen Drei Könige, dem Aufglänzen des Sternes und dem befangenen Leben im heiligen Stall. Und immer war es ihm erschienen, als ob die Mutter, die hinter ihm stand, nicht genau genug alle Ereignisse verfolge; er hatte sie zu sich hingezogen, bis er sie an seinem Rücken fühlte, und hatte ihr so lange mit lauten Ausrufen verborgenere Erscheinungen gezeigt, vielleicht ein Häschen, das vorn im Gras abwechselnd Männchen machte und sich dann wieder zum Lauf bereitete, bis die Mutter ihm den Mund zuhielt und wahrscheinlich in ihre frühere Unachtsamkeit verfiel* (A 51). Der Erwachsene vermag in der Regel nicht, sich in die Schausituation des Kindes zu versetzen, so ist denn auch der Onkel *zum Unterschied von Karl mit diesem Schreibtisch durchaus nicht einverstanden* (A 51). Er findet es auch bedenklich, wenn sich Karl vom Balkon des Hochhauses *betörten Auges* in den Anblick des unten tosenden Broadway-Verkehrs verliert und warnt dringend vor den Gefahren solcher Selbstvergessenheit, die er ein Verderben nennt (A 50).

Von fremdartigen Erscheinungen seiner Umwelt fühlt sich Karl auch und gerade dann gefesselt, wenn die Bedrohlichkeit seiner eigenen Lage dies am allerwenigsten gestattet. So geschieht es in jenen fürchterlichen Minuten, die ihm die brutale, physische Gewalt des Oberportiers bereitet. Der Oberportier *drückte Karls Arme, daß dieser sie gar nicht rühren konnte, und trug ihn förmlich an das andere Ende der Portierloge* (A 225). Statt an Rettung zu denken, läßt sich Karl aber gerade jetzt durch ein sich ihm plötzlich darbietendes B i l d vollständig in Bann halten: was er wahrnimmt ist eine Gruppe hektisch arbeitender Telephonisten, auf deren präzise Schilderung beinahe eine ganze Druckseite verwandt wird: *Karl konnte sich tatsächlich nicht enthalten, das alles genau zu verfolgen, obwohl der Oberportier . . . ihn in einer Art Umklammerung vor sich hinhielt* (A 226). Unmittelbar vorher hat Karl, in ähnlich bedrängter Lage, die Vorgänge an einem Auskunftsschalter *mit der angespanntesten Aufmerksamkeit in wenigen Augenblicken in sich aufgenommen* (A 224). In wiederum ähnlicher Situation verfolgt er vom Balkon Bruneldas aus die Bewegungen einer wild demonstrierenden Menschenmasse. Während er schaut, hält Brunelda ihn in einer Art Umklammerung: *Aber auch Karl vergaß bald Brunelda und duldete die Last ihrer Arme auf seinen Achseln, denn die Vorgänge auf der Straße nahmen ihn sehr in Anspruch* (A 280). Dieselben Vorgänge setzten ihn — wie es später heißt — in *atemlose Verwirrung* (A 287) und geben Anlaß zu Bruneldas Bemerkung: *„Sieh mal den Kleinen . . . er vergißt vor lauter Schauen, wo er ist"* (A 284).

Es kann nicht bloße Neugierde sein, die Kafkas kindlichen Helden gerade in bedrohlichsten Augenblicken zu einer gesteigerten Anschauung fremder Phänomene verleitet. Neugierde ist ein im Grunde ich-bezogener, vordergründiger Wissensdrang; der Neugierige d e n k t , er fragt nach Zwecken und Ursachen, nach der rationalen Verknüpfung der Phänomene, als deren letztes logisches Glied stets das eigene Ich übrig bleibt. K a r l s kindlichselbstvergessenes Schauen richtet sich aber nicht auf Gründe und Zwecke, sondern haftet an der bloßen sinnlichen Sichtbarkeit des Gegenstandes. Diese, beinahe schon an sich poetisch zu nennende, sinnlich visuelle Art des Anschauens ist für Kafkas dichterische Absicht von außerordentlicher Bedeutung, denn die mit dem Zurücktreten des alltäglichen Selbstinteresses wachsende Blickintensität eröffnet den Weg zu gesteigerter, im wörtlichsten Sinne kontemplativer Welterkenntnis. Karls Blick (um ein Zitat zu gebrauchen) ist eben „jener Kinderblick . . . , der durch das Sinnliche ins Wesentliche dringt"[76]. Vielleicht spürt schon der naive Leser, daß in den von Karl erschauten Bildern etwas offenbar wird, das über die gewöhnliche, in der Verfolgung kausaler Zusammenhänge sich erschöpfende „verständige" Beobachtung weit hinausgeht [77]. Der Dichter hat dies wohl einmal andeuten wollen, wenn er seinen Helden durch ein Fenster im Schiffslabyrinth wie in einem Wachtraum den großen Hafenbetrieb bestaunen läßt. In seiner Versunkenheit erkennt Karl ganz deutlich: *Ja, in diesem Zimmer* (das er selbst noch gar nicht wahrgenommen hat) *wußte man, wo man war* (A 19). Es scheint als schaffe sich Karl erst durch den Blick nach außen, ins hektische Lebensgetriebe Klarheit über das innere Wesen der ihn umgebenden Welt.

56. Ausschaltung der Ratio

Da der Erzähler im »Verschollenen« stark zurücktritt, das Geschehen vielmehr stets von innen her, aus der Sicht eines und desselben Helden dargestellt erscheint, muß sich — bei kunstgerechtem Verfahren — Karl Roßmanns besondere Sehweise auf Stil und Technik des gesamten Romans übertragen. Daß dies in der Tat so ist, daß eine stark ausgeprägte Visualität des Stils den »Verschollenen« charakterisiert, ist bereits erläutert worden (18).

---

[76] Thomas Mann, Der Zauberberg, 1956, S. 622.

[77] Schopenhauer bemerkt „eine gewisse Ähnlichkeit, welche zwischen dem Genie und dem Kindesalter Statt findet". „Eben weil die heillose Tätigkeit dieses (Genital-)Systems noch schlummert, während die des Gehirns schon volle Regsamkeit hat, ist die Kindheit die Zeit der Unschuld und des Glücks, das Paradies des Lebens, das verlorene Eden, auf welches wir, unsern ganzen übrigen Lebensweg hindurch, sehnsüchtig zurückblicken. Die Basis jenes Glückes aber ist, daß in der Kindheit unser ganzes Dasein viel mehr im Erkennen als im Wollen liegt; welcher Zustand zudem noch von außen durch die Neuheit aller Gegenstände unterstützt wird". — „Der unschuldige und klare Blick der Kinder . . . ist aus dem Gesagten erklärlich". — „Jedes Genie ist schon darum ein großes Kind, weil es in die Welt hineinschaut als in ein Fremdes, ein Schauspiel, daher mit rein objektivem Interesse. Demgemäß hat es, so wenig wie das Kind, jene trockene Ernsthaftigkeit der Gewöhnlichen, als welche keines andern als des subjektiven Interesses fähig, in den Dingen immer bloß Motive für ihr Tun sehen". (Die Welt als Wille und Vorstellung II, Kap. 31.)

Insofern zeigt sich zwischen dem gestalteten Ich des Helden – seinem Charakter – und der eigentümlich visuellen Art der Umweltbeschreibungen eine folgerechte und selbstverständliche Korrelation, die auch im erkenntnistheoretischen Sinne „richtig" genannt werden muß.

Beispiele hoch visueller, wenn nicht visionärer Darstellung bieten vor allem jene Partien des Romans, die unter dem Namen Zwischenbilder von einem mehr formalen Gesichtspunkt aus bereits behandelt worden sind (30). Das umfangreichste und bedeutendste unter ihnen ist die Beschreibung einer nächtlichen Massendemonstration im Kapitel „Ein Asyl". Der trotz äußerer Bedrängnis gesteigerten Aufmerksamkeit des Schauenden entspricht dort die hohe Genauigkeit des Details und die daraus hervorgehende, kaum zu überbietende suggestive Anschaulichkeit der Beschreibung. Hierzu stimmt vollkommen, daß Ausrufe der Menge oder Parolen der Demonstrationsredner nur als optische oder akustische Phänomene, nicht aber ihrem Inhalt nach wahrgenommen werden. So ist etwa die Rede von einer *Gruppe gestikulierender Männer, . . . deren Unterhaltungen eine besondere Bedeutung haben mußten, denn von allen Seiten sah man lauschende Gesichter sich ihnen zuneigen* (A 280). Auch die Ansprache des von Automobillaternen grell beleuchteten Redners wird von jedermann g e s e h e n , nicht aber gehört oder gar verstanden: er *hielt sich meist ganz zusammengekrümmt und versuchte mit ruckweisen Bewegungen der einen freien Hand und des Zylinders in der anderen seinen Worten möglichste Eindringlichkeit zu geben. Manchmal aber, in fast regelmäßigen Zwischenräumen, durchfuhr es ihn, er erhob sich mit ausgebreiteten Armen, er redete nicht mehr eine Gruppe, sondern die Gesamtheit an, er sprach zu den Bewohnern der Häuser bis zu den höchsten Stockwerken hinauf, und doch war es vollkommen klar, daß ihn schon in den untersten Stockwerken niemand hören konnte; ja, daß ihm auch, wenn die Möglichkeit gewesen wäre, niemand hätte zuhören wollen, denn jedes Fenster und jeder Balkon war doch zumindest von einem schreienden Redner besetzt* (A 283 f.). Durch solche Ausschaltung der eigentlichen R e d e bleiben Sinn und Ziel des gesamten Vorgangs unverständlich. Auch der Hinweis, es handele sich um die Wahl eines Bezirksrichters (A 279), ändert hieran nichts, im Gegenteil: zwar wird der Kandidat von einer erregten Menge umringt und getragen, *Aber kein Mensch denkt daran, daß er gewählt werden könnte* (A 302). – Des Dichters Absicht, eine vordergründige Sinngebung des großen Ereignisses auszuschließen, wird durch diese, scheinbar beiläufige Bemerkung offenbar. Dieselbe Absicht äußert sich zumal bei der Beschreibung technischer Phänomene – vorzüglich in den Zwischenbildern – und charakterisiert überhaupt die Seh- und Darstellungsweise des frühen Kafka, der durch die Reduktion der wahrgenommenen Welt auf das bloß sinnlich Schaubare die untergründige Irrationalität scheinbar vernünftiger Lebensvorgänge bis zur Grenze des Komischen hervorhebt[78].

57. DIE WELT AN SICH

Durch den bloß negativen Begriff der Irrationalität läßt sich die suggestive Kraft, wie sie zumal von den Zwischenbildern ausgeht, die beinahe magische Faszination und poetische Schönheit schwerlich ermessen. Ihr wesentlicher Inhalt kann vielmehr nur von einem umfassenderen, über das ‚Hier und Jetzt' der Erscheinung hinausgreifenden Blickwinkel aus wahrgenommen und verstanden werden. Daß ein solcher allgemeiner Inhalt den meisten der Zwischenbilder eigen ist, daß also diese Bilder einen gemeinsamen und bedeutenden Gegenstand – eine Idee – gleichnishaft veranschaulichen, mag aus der folgenden Überschau deutlich werden.

In den schon mehrfach genannten Massenszenen schildert Kafka die unaufhaltsame Dynamik einer fast organisationslosen, wie zufällig aus Menschen bestehenden amorphen Menge scheinbarer Einzelwesen: *Die Straße war nun ... weithin mit Menschen angefüllt. Von oben ... strömten sie herab, von unten ... liefen sie herauf ... während die Männer unten aus den Haustoren drängten. – ... dier Träger hatte nicht die geringste Bewegungsfreiheit mehr, das Gedränge war zu groß ... dieser starke Mann konnte keinen Schritt nach seinem Willen mehr machen, an eine Einflußnahme auf die Menge ... war nicht mehr zu denken. Die Menge flutete ohne Plan, einer lag am anderen, keiner stand mehr aufrecht, die Gegner schienen sich durch neues Publikum sehr vermehrt zu haben, der Träger ... ließ ... sich, scheinbar ohne Widerstand, die Gasse auf- und abwärts treiben* (A 286 f.). Mit dem Verlöschen der Lichter am Schluß wird das Chaos auch noch sinnbildlich vollendet: *die Automobillaternen ... waren sämtlich und gleichzeitig zerschmettert worden, den Kandidaten und seinen Träger umfing nun die gemeinsame unsichere Beleuchtung, die in ihrer plötzlichen Ausbreitung wie völlige Finsternis wirkte* (A 288).

Ähnlich wie dieses Beispiel lassen sich auch andere Zwischenbilder als Gleichnisse allgemeinster dynamischer Seinszustände auffassen. So ent-

---

[78] Diese Haltung kommt besonders in Kafkas Reportage »Die Aeroplane in Brescia« (1909) zum Ausdruck.

steht ein höherer, nicht mehr bloß chaotischer Zustand zu Beginn der Beschreibung eines Auskunftsschalters im Hotel: *Diese zwei Auskunftserteiler hatten ... in der Öffnung des Fensters immer zumindest zehn fragende Gesichter vor sich. Unter diesen zehn Fragern, die immerfort wechselten, war oft ein Durcheinander von Sprachen ... Immer fragten einige gleichzeitig, immer redeten außerdem einzelne untereinander. Die meisten wollten etwas aus der Portierloge holen oder etwas dort abgeben, so sah man immer auch ungeduldig fuchtelnde Hände aus dem Gedränge ragen* (A 221). – Hier ist das Drängen der Masse nicht mehr blind, sondern auf ein sichtbares Triebziel gerichtet, so daß eine einheitliche Triebbewegung entsteht. In der Differenzierung von Ziel und Bewegung, und damit von Ursache und Wirkung, scheint eine höhere Stufe physischen Seins sichtbar zu werden.

Als untergeordneter Haufe besitzt die Masse nur geringe Wirkungskraft. Schneller erreicht sie ihr Triebziel durch Ordnung und Ausrichtung der vielen Einzelnen. Ein solcher, wiederum höher organisierter Zustand erscheint in einem Zwischenbild, das Karls Eindrücke während einer Automobilfahrt zusammenfaßt: *dann erschienen nach beiden Seiten hin in Perspektiven, denen niemand bis zum Ende folgen konnte, die Trottoirs angefüllt mit einer in winzigen Schritten sich bewegenden Masse, deren Gesang einheitlicher war als der einer einzigen Menschenstimme* (A 65). – Derselbe geordnete Zustand bildet den Auftakt der großen Massendemonstration im sog. Kapitel »Ein Asyl«, und zwar vor Eintritt des Chaos, als die Menge sich wenige Augenblicke lang in überschaubarer Phalanx präsentiert: *Unten auf dem Trottoir marschierten junge Burschen mit großen Schritten, ausgestreckten Armen, die Mützen in der erhobenen Hand, die Gesichter zurückgewandt. ... Gerade traten die Trommler und Trompeter in breiten Reihen ans Licht* (A 277).

In der deutlichen Differenzierung des Massenandrangs zeigt das folgende Bild einen abermals höheren Zustand: *Später begannen die Kolonnen von Fuhrwerken, welche Lebensmittel nach New York brachten, und die in fünf, die ganze Breite der Straße einnehmenden Reihen so ununterbrochen dahinzogen, daß niemand die Straße hätte überqueren können. Von Zeit zu Zeit verbreitete sich die Straße zu einem Platz, in dessen Mitte auf einer turmartigen Erhöhung ein Polizist auf und ab schritt, um alles übersehen und mit einem Stöckchen den Verkehr auf der Hauptstraße sowie den von den Seitenstraßen hier einmündenden Verkehr ordnen zu können, der dann bis zum nächsten Platze und zum nächsten Polizisten unbeaufsichtigt blieb, aber von den schweigenden und aufmerksamen Kutschern und Chauffeuren*

freiwillig in genügender Ordnung gehalten wurde. . . . Dabei war die Fahrt-
schnelligkeit natürlich nicht immer die gleiche. Wenn auf einzelnen Plät-
zen infolge allzu großen Andrangs von den Seiten große Umstellungen vor-
genommen werden mußten, stockten die ganzen Reihen und fuhren nur
Schritt für Schritt, dann aber kam es auch wieder vor, daß für ein Weilchen
alles blitzschnell vorbeijagte, bis es, wie von einer einzigen Bremse regiert,
sich wieder besänftigte (A 121 f.).

Das gewaltige Vorwärtsdrängen, hier in mehrere Stränge gebündelt und
in seiner Intensität wechselnd, läßt ein räumlich und zeitlich differenziertes
Bewegungssystem entstehen. Zugleich ergibt sich eine Gliederung nach
Funktionen: einzelne, deutlich aus der Masse herausgehobene Organe nehmen auf das Ganze einen ordnenden Einfluß.

Je differenzierter ein organisches System, um so weniger läßt es sich in
seiner Gesamtheit überschauen. Indessen vermag der Dichter, allein durch
Präzisierung eines einzelnen, untergeordneten Organs, das Wesen des Ganzen anschaulich zu machen. So etwa wird der hochkomplizierte Gesamt-
organismus des Hotels in zwei schon genannten Zwischenbildern aufs Deutlichste vorgestellt. Das erste Bild (s. 55) zeigt die Arbeit der Auskunfts-
beamten, das zweite ähnliche, eine Gruppe eifrig arbeitender Telephonisten:
Da waren zum Beispiel sechs Unterportiers bei sechs Telephonen. Die An-
ordnung war, wie man gleich bemerkte, so getroffen, daß immer einer bloß
Gespräche aufnahm, während sein Nachbar nach den vom ersten empfan-
genen Notizen die Aufträge telephonisch weiterleitete. Es waren dies jene
neuesten Telephone, für die keine Telephonzelle nötig war, denn das Glok-
kenläuten war nicht lauter als ein Zirpen, man konnte in das Telephon mit
Flüstern hineinsprechen und doch kamen die Worte dank besonderer elek-
trischer Verstärkungen mit Donnerstimme an ihrem Ziele an. Deshalb hörte
man die drei Sprecher an ihren Telephonen kaum und hätte glauben können,
sie beobachteten murmelnd irgendeinen Vorgang in der Telephonmuschel,
während die drei anderen, wie betäubt von dem auf sie herandringenden,
für die Umgebung im übrigen unhörbaren Lärm, die Köpfe auf das Papier
sinken ließen, das zu beschreiben ihre Aufgabe war. Wieder stand auch hier
neben jedem der drei Sprecher ein Junge zur Hilfeleistung; diese drei Jun-
gen taten nichts anderes, als abwechselnd den Kopf horchend zu ihrem Herrn
zu strecken und dann eilig, als würden sie gestochen, in riesigen, gelben
Büchern – die umschlagenden Blättermassen überrauschten bei weitem jedes
Geräusch der Telephone – die Telephonnummern herauszusuchen (A 225 f.).
– Der eigentliche Zweck all dieser Verrichtungen geht aus der Beschreibung

selbst nicht hervor, zumal der Zusammenhang mit dem übrigen, komplizierten Hotelorganismus verborgen bleibt. Das Eindringliche des Bildes liegt auch nicht in Sinn und Zweck der gezeigten Tätigkeit, sondern im Zwang zur Tätigkeit an sich, in der hier wirksamen hohen Triebspannung einer beherrschenden Kraft, die sich in den hektischen Bewegungen der ganz im Banne ihres Feldes wirkenden Figuren unablässig entlädt.

So scheint denn überhaupt die fremde, unbegreifliche Welt, wie sie sich dem Helden gerade in den Zwischenbildern mit großer Leuchtkraft darbietet, ihrem Wesen nach eine unaufhörlich wechselnde Entfaltung allgemeinster physischer Seinskräfte. Vernunft tritt nirgends als höheres, sinngebendes Prinzip hervor, sondern höchstens als Verstand, als technisches Medium zur Steigerung physischer Potenzen, die in der hoch mechanisierten Neuen Welt, dem *allermodernsten* Amerika, ihren höchsten Grad erreicht. Technische Phänomene beschreibt Kafka daher auch niemals als tote Akzidenzien, sondern als Instrumente einer universalen Natur- und Lebensgewalt, die sich den Menschen mitsamt seinen Maschinen untertänig gemacht hat. Am Bild der unablässig fahrenden Automobile wird dies noch besonders deutlich:

Karl saß aufrecht und sah auf die ein paar Meter tiefer führende Straße, auf der immer wieder Automobile, wie schon während des ganzen Tages, leicht aneinander vorübereilten, als würden sie in genauer Anzahl immer wieder von der Ferne abgeschickt und in der gleichen Anzahl in der anderen Ferne erwartet. Während des ganzen Tages ... hatte Karl kein Automobil halten, keinen Passagier aussteigen gesehen (A 131).

Noch immer fuhren draußen, wenn auch schon in unterbrochener Folge, Automobile, rascher aus der Ferne her anwachsend als bei Tage, tasteten mit den weißen Strahlen ihrer Laternen den Boden der Straße ab, kreuzten mit erblassenden Lichtern die Lichtzone des Hotels und eilten aufleuchtend in das weitere Dunkel (A 139).

zur Straße konnte man nicht gelangen, da eine ununterbrochene Reihe von Automobilen stockend sich am Haupttor vorbeibewegte. Diese Automobile waren, um nur so bald als möglich zu ihrer Herrschaft zu kommen, geradezu ineinandergefahren, jedes wurde vom nachfolgenden vorwärtsgeschoben (A 230).

Durch Ausdrücke wie *immer, immer wieder* und *ununterbrochen* wird die Stetigkeit der drängenden Bewegung einprägsam unterstrichen. Sie erreicht visuell wie sprachlich ihre höchste Steigerung in jenem Straßenbild, das sich dem faszinierten Karl vom Balkon des Onkels aus darbietet:

112

Und morgens wie abends und in den Träumen der Nacht vollzog sich auf dieser Straße ein immer drängender Verkehr, der, von oben gesehen, sich als eine aus immer neuen Anfängen ineinandergestreute Mischung von verzerrten menschlichen Figuren und von Dächern der Fuhrwerke aller Art darstellte, von der aus sich noch eine neue, vervielfältigte, wildere Mischung von Lärm, Staub und Gerüchen erhob, und alles dieses wurde erfaßt und durchdrungen von einem mächtigen Licht, das immer wieder von der Menge der Gegenstände verstreut, fortgetragen und wieder eifrig herbeigebracht wurde und das dem betörten Auge so körperlich erschien, als werde über dieser Straße eine alles bedeckende Glasscheibe jeden Augenblick immer wieder mit aller Kraft zerschlagen (A 49).

Viermal dient hier das Wort *immer* dazu, das zeitlos Unstete des umfassenden Drangs hervorzuheben.

Es gehört zu den Ausnahmen, wenn der Dichter einmal die visuelle Sphäre verläßt und durch eine verallgemeinernde Wendung den metaphysischen Bedeutungskern seiner Bilder unmittelbar berührt: *Obwohl ... über Trottoir und Fahrbahn, alle Augenblicke die Richtung wechselnd, wie in einem Wirbelwind der Lärm jagte, nicht wie von Menschen verursacht, sondern wie ein fremdes Element ...* (A 64). Wenn auch der Form nach nur als Vergleich, so ist doch die allgemein physische, dem Menschen nicht faßbare Triebkraft als das *fremde Element* ausdrücklich genannt. – Deutlicher noch wird die Bezugnahme in dem folgenden Satz, der eine Beschreibung des lebhaften Verkehrs im New Yorker Hafen abschließt und elliptisch zusammenfaßt: *Eine Bewegung ohne Ende, eine Unruhe, übertragen von dem unruhigen Element auf die hilflosen Menschen und ihre Werke!* (A 25). Nicht nur das Wasser wird hier als *unruhiges Element* angesprochen. Vielmehr bezeichnen die Begriffe *Unruhe* und *Bewegung ohne Ende* ein schlechthin Unendliches so allgemein, daß der metaphysische Inhalt des Bildes auch noch vom Gedanken her konklusiv gefaßt wird[79].

---

[79] Hermsdorf hat Kafkas Zwischenbilder weder als Phänomen, noch ihrer Bedeutung nach erkannt. In den Beschreibungen der amerikanischen Welt sieht H. nur das Detail, den „zufälligen Ausschnitt", der „jeweils nur den spontanen Oberflächeneindruck der Dinge wiedergibt" (Kafka, S. 199); er begnügt sich damit, ihnen nur den S c h e i n der Wesentlichkeit zuzusprechen (S. 204). Demgemäß behauptet Hermsdorf, Kafkas Schilderung der Welt beruhe nicht auf einem genauen Studium der Gegenstände (S. 169), sondern „auf der Entwertung dieses äußeren Stoffes zu einer äußerlich atmosphärischen Ausdruckshülle für die zutiefst subjektive Problematik des Dichters" (S. 197).

Die Stellung des Menschen innerhalb einer nur elementar wirkenden und daher nicht menschlichen, sondern *fremden* Kräftewelt läßt sich allein an Hand der letzten beiden Zitate klar bestimmen. Je gewaltsamer sich der Drang physischer Mächte in immer neuen Spielarten entfaltet, desto hilfloser sieht sich ihnen der Mensch, zumal der menschlich empfindende, gegegenübergestellt. Die physische Natur scheint die Existenz der Menschenseele zu leugnen. Ihr Anblick — oft von faszinierender Schönheit — muß daher für den zart und moralisch fühlenden Karl Roßmann als furchtbare Bedrohung und übergewaltige Daseinsantithese spürbar werden.

In den Zwischenbildern wie auch sonst überall im Roman bleibt die untergeordnete, zur bloßen Funktion reduzierte Rolle des Menschen stets dieselbe. Manchmal gelangen Menschen gar nicht erst ins Bild, sie bleiben unsichtbar im Innern der Automobile oder undifferenzierbar im Gedränge der Massen. So, aus relativer Distanz betrachtet, fügen sie sich vollkommen und scheinbar widerspruchsfrei in die bewegten Abbilder „amerikanischen" Lebens, stören nicht den Eindruck von Größe und Schönheit. Mit der Naheinstellung aber ändert sich das Bild. Wie sich die Hände des Bootsmannes am Steuerruder nicht mit menschlicher Gelassenheit, sondern in *Zuckungen* bewegen (A 25), wie die Finger des Telephonisten *unmenschlich gleichmäßig und rasch* über das zu beschreibende Papier *zucken* (A 58), so erscheint auch im Gewühl der Straße statt der Menschen eine *ineinandergestreute Mischung von verzerrten menschlichen Figuren* (A 49). Sei es nun, daß der Mensch als einzelner gegen das Chaos anzukämpfen versucht, sei es, daß er sich als spezialisierter Roboter eines technischen Apparats entnervt, immer wird beim Betrachten solcher Bilder ein Mißverhältnis zwischen der ideellen Bestimmung des Menschen und jener unmenschlichen Betriebsamkeit schmerzlich empfunden. Dies um so mehr, als Kafka die hektische Motion und gleichzeitige Hilflosigkeit mancher Figur hin und wieder übertreibt und damit — wie es scheint absichtlich — grotesk-komische Wirkungen erzielt. Nochmals sei hier an die mechanisch wiederkehrenden zappelnden Gesten des Wahlredners erinnert: *Manchmal aber, in fast regelmäßigen Zwischenräumen, durchfuhr es ihn, er erhob sich mit ausgebreiteten Armen . . .* (A 283)[80]. – Auch die Ablösung der Informationsbeamten im Hotel

---

[80] Henri Bergson meint, eine solche, periodisch immer wiederkehrende Gebärde m ü s s e geradezu komisch wirken, da sie an einen automatisch funktionierenden Mechanismus erinnere: „Voici par exemple, chez un orateur, le geste, qui rivalise avec la

ist als übertrieben mechanistischer Vorgang von komischer Wirkung, zumal wenn sich die Männer am Schluß der Arbeit ihre Köpfe wie heißgelaufene Maschinenteile mit Wasser kühlen (A 223).

Derartige Grotesken sind freilich nur der ins Paradoxe gesteigerte Ausdruck eines verzweifelten Ernstes. Erst recht werden die namenlosen, termitenhaften Wesen als austauschbare Elemente eines pausenlos arbeitenden, durch technische Vorkehrungen potenzierten Lebensorganismus erkannt, vor dessen Allgewalt selbst der oberflächlichste Anflug menschlicher Individualität und Würde verschwinden muß.

59. KARL ROSSMANN IN DER WELT

Hat sich die amerikanische Arbeitswelt ihrem innersten Wesen nach als Feld des Fluchs, als Inferno gnadenlos unmenschlicher Betriebsamkeit offenbart, so stellt sich von allein die Frage nach dem Verhalten des in sie hineingestoßenen Menschen Karl Roßmann. Schließlich bildet die Geschichte seiner Auseinandersetzung mit jener Welt, das stufenweise Kennenlernen ihrer wahren Beschaffenheit, Ohnmacht und Untergang darin, Grundthema und Fabel des Romans, dessen lange ungekannter Titel »Der Verschollene« lauten sollte. Max Brod hat nicht Unrecht, wenn er gerade diesen Roman „lichter" nennt, als alles was Kafka sonst geschrieben habe (Nachwort zur Ersten Ausgabe). Nur sollte man die tröstlicheren Züge des Werks nicht in einem etwa glücklichen Ende, einem Zurückfinden des Helden in ein Land buchstäblicher Traumerfüllung suchen wollen, in einem Paradies also, das der Dichter nirgendwo beschreibt. Vielmehr scheint die innere Leuchtkraft des Romans fast ausschließlich von der Seele seines jugendlichen Helden auszugehen, den Kafka − wie kaum ein anderes seiner Geschöpfe − als m e n s c h l i c h empfindendes und handelndes Wesen entschieden gestaltet hat.

Schon im ersten Kapitel (»Der Heizer«) sind alle wesentlichen Aussagen über die Persönlichkeit Karl Roßmanns voll enthalten. In seinem Versuch, dem bedrängten Schiffsheizer beizustehen, tritt er allein als selbständiger,

---

parole. ... Mais voici qu'un certain mouvement du bras ou de la tête, toujours le même, me paraît revenir périodiquement. Si je le remarque, s'il suffit à me distraire, si je l'attends au passage et s'il arrive quand je l'attends, involontairement je rirai. Pourquoi? Parce que j'ai maintenant devant moi une mécanique qui fonctionne automatiquement" (Bergson, S. 402).

aus eigenem Entschluß handelnder Mensch hervor. Wie spontan ihn Kafka ans Werk gehen läßt, zeigt das äußere Verhalten. Sichtbar löst sich Karl vom Willenseinfluß des Heizers, der ihn bisher an der Hand gehalten hat: *Ohne weitere Besinnung machte sich Karl los, lief quer durchs Zimmer, . . . war der erste beim Tisch des Oberkassiers, wo er sich festhielt* (A 21).

Vom Drang, dem Heizer zu helfen ist Karl Roßmann so besessen, daß er seine eigene, wahrhaft verzweifelte Lage vergißt. So betrachtet er auch das Auftauchen des Onkels nicht als glückliche Wende seines eigenen schlimmen Geschicks, sondern allein nach den Folgen, die es für die Sache des H e i z e r s nach sich ziehen wird. Der Onkel gibt sich zu erkennen, umarmt und küßt seinen Neffen. Der aber läßt ohne Regung eines Glücksgefühls *alles stumm geschehen* (A 33). − Die tiefe Bedeutung, die Karl der Sache des Heizers beimißt, wird vor allem am Schluß des Kapitels stark empfunden: *Und nun weinte Karl, während er die Hand des Heizers küßte, und nahm die rissige, fast leblose Hand und drückte sie an seine Wangen, wie einen Schatz, auf den man verzichten muß* (A 44).

Kafka gestaltet damit etwas, das als seltene Ausnahme von der gewöhnlichen Regel alles natürlich-egoistischen Handelns abweicht: In Karl hat der Gedanke an den Heizer und dessen Leiden das Bewußtsein des eigenen, bedrohten Ichs verdrängt − es ist ganz im andern Ich des Heizers aufgegangen. Dieses eigentümliche Verhältnis findet seine Entsprechung in der besonderen Handlungsstruktur der Erzählung, in der sich die Geschicke Karls und des Heizers als Spiegelungen gegenüberstehen (vgl. 11).

Den hier gemeinten Akt der von Karl ausgehenden subjektiven Identifikation hat der Dichter über jeden Zweifel hinaus deutlich gemacht, indem er an einer entscheidenden Stelle − in scheinbarer Durchbrechung der perspektivischen Richtigkeit − so erzählt, als sei der H e i z e r und nicht Karl das erfahrende Subjekt: *Und trotzdem schien der Heizer nichts mehr für sich zu hoffen . . . er hatte sein ganzes Leid geklagt, nun sollte man auch noch die paar Fetzen sehen, die er am Leibe hatte, und dann sollte man ihn forttragen. Er dachte sich aus . . .* (A 41)[81].

Wenn − wie es hier geschieht − ein Mensch die naturgesetzliche, seelentrennende Mauer (das Prinzip der Individuation) für einen Augenblick durchbricht, so ist dies, zumindest innerhalb der poetischen Welt Kafkas, ein außergewöhnlicher Vorgang. Mit ihm nämlich eröffnet sich ein entschieden m o r a l i s c h e r Aspekt, der das Weltbild gerade dieser frühen Romandich-

---

[81] Vollständiges Zitat s. 44.

tung bis ins letzte ihrer Fragmente bestimmen wird. Zugleich wird damit die große Bedeutung des »Heizers« für die folgenden Kapitel, seine Schlüsselstellung für den gesamten Roman, auch im tieferen Sinn einer ethischen Grundaussage bestätigt.

Karls sittliches Verhalten ist indessen nicht nur intuitiv wirksam; es erscheint zugleich, wenigstens an einer Stelle der Erzählung, auf der Stufe einer zwar naiven, aber darum nur um so deutlicheren Bewußtheit: *Karl ... fühlte sich so kräftig und bei Verstand ... Wenn ihn doch seine Eltern sehen könnten, wie er in fremdem Land vor angesehenen Persönlichkeiten das Gute verfocht* (A 30 f.) Dieser Kampf um *das Gute,* so sehr er auch für den naiven Karl die Hauptsache der im Schiff stattfindenden Begegnungen ausmacht, wird sich später nicht mehr in ähnlich programmatischer Weise wiederholen – eine Tatsache, die mit der Ökonomie des Aufbaus und der exponierenden Funktion des Anfangskapitals (das die Idee des Ganzen vorwegnimmt) zusammenhängt.

War der kindliche, unschuldige Charakter des Helden schon ästhetisch, d. h. als Voraussetzung einer besonderen, visuellen Wirklichkeitserfahrung von Gewicht, so gilt ähnliches nun auch in e t h i s c h e r Hinsicht: auch das H a n d e l n des Helden wird durch Kindlichkeit und Moralität des Charakters durchgehend bestimmt. Die beiden letzteren Faktoren erscheinen im Roman als wechselseitige Bedingungen. Wie weit ihr Zusammenhang für psychologisch „richtig" gelten darf, ist hier von minderem Interesse. Der ideelle Sinn ist jedenfalls vollkommen deutlich: Nicht der Erwachsene, sondern der unschuldige, kindliche Mensch allein scheint einer selbtlosen und darum sittlichen Handlung fähig.

Im unbestimmten Gefühl dieser Fähigkeit liegt wohl auch die Wurzel des naiven Glaubens, die Welt im Sinne der menschlichen Gerechtigkeit verändern zu können. Ein solcher Glaube Karl Roßmanns spielt noch im zweiten und dritten Kapitel des Romans eine gewisse Rolle; Kafka verbildlicht ihn rührend, wenn er von den unbeholfenen Klavierübungen Karls im eisernen Hochhause erzählt: *Karl erhoffte in der ersten Zeit viel von seinem Klavierspiel und schämte sich nicht, wenigstens vor dem Einschlafen an die Möglichkeit einer unmittelbaren Beeinflussung der amerikanischen Verhältnisse durch dieses Klavierspiel zu denken ... – aber sah er dann auf die Straße, so war sie unverändert und nur ein kleines Stück eines großen Kreislaufes, das man nicht an und für sich anhalten konnte, ohne alle Kräfte zu kennen, die in der Runde wirkte*n (A 53). Rührend ist dieses Bild vor allem, weil am Ende doch immer die physischen Gewalten den Sieg erringen, weil der *Unschuldige* stets *beiseitegeschoben* oder endlich gar *umgebracht* werden wird. Ihr Sieg aber ist unvollkommen, da er eben nur als physischer Sieg zu gelten hat. Das zart-moralische Empfinden Karl Roßmanns, die Unschuld und Reinheit seines Herzens, werden durch Untergang, Tod oder äußere Entwürdigung nicht betroffen. All das, so lehrt der Dichter, ist weder besiegt noch überhaupt besiegbar und bleibt als positiv Gegebenes gleichsam über die Grenzen des Romans hinaus bestehen. Man mag sich daran erinnern, wie im Roman »Der Prozeß« Josef K.s Hinrichtung von diesen Schlußworten des Erzählers begleitet wird: *es war, als sollte die Scham ihn überleben* (P 272). Selbst in dem „schuldigen" Josef K. ist die Scham als Relikt moralischen Fühlens noch lebendig. Dieses Moralische eben, so scheint Kafka anzudeuten, wird vom Untergang der physischen Existenz nicht berührt.

60. Die Rolle der Mitmenschen

Man bemerkt schon hier, wie der extreme, unheilvolle Gegensatz zwischen dem naiv menschlichen Ethos des Helden und der ihn umgebenden menschenfeindlichen Körperwelt die Gesamtidee des Romans entscheidend bestimmt. Ist eine Überbrückung der Antithesen überhaupt vorstellbar, so allein durch das Dazwischentreten menschlich fühlender und handelnder Gestalten. Ob es sie unter den vielfältigen Figuren des Romans überhaupt gibt, oder ob nicht vielmehr alle — mit Ausnahme des Helden — als Vertreter und Diener jener nur physisch organisierten Gegenwelt aufzufassen sind, wäre also zu fragen. Man halte sich hierbei nicht an Karl Roßmanns eigene, durchaus ungereifte Menschenbeurteilung. Die von ihm behauptete „Güte" der Eltern, des Onkels oder des Herrn Pollunder, die Hilfebedürftigkeit des Heizers, aber auch die übertriebene Gefährlichkeit des Obermaschinisten sind teils nur eingelernte Vorstellungen, teils Produkte kindlicher Einbildungskraft, die über Karl Roßmann manches, über die Figuren selbst aber wenig besagen. Da deren objektives Verhalten selten eindeutig, öfter rätselhaft erscheint, geben auch hier die z. T. schon untersuchten s i c h t b a r e n Details den meisten Aufschluß (vgl. 21 ff.). Schon früher war aufgefallen, wie Kafka das Körperliche seiner Figuren betont: der *waagrechte, starke Schnurrbart* des Vaters, seine zur Faust geballte Hand (A 117), *das große, schwarze Mundloch* des Oberkellners (A 195), sein Umfassen der Oberköchin (A 219), die besitzergreifende Geste, mit der der Onkel Karl *fest an*

118

sich gepreßt hält (A 46). Vom physischen Charakter des Vaters und der ihm ähnlichen Figuren wird später noch die Rede sein (65), dieser Charakter wird – im Falle des Onkels und des Oberkellners – durch die dahinterstehende physische Macht zweier Riesenbetriebe, deren Repräsentanten sie sind, gleichsam erläutert. Als sinnlich und mit Körperkräften begabt erscheinen auch die Funktionäre und Helfershelfer jener Chefs: Green ist ein Turner, ein *Vorturner* sogar (A 98) und starker Esser, der Klara gelegentlich beim Kinn faßt (A 74); der Oberportier hält Karl mit eisernem Griff von ungeheurer Stärke, während er zugleich Therese umarmt (A 205 f.). Die Betonung des Sinnlich-Körperlichen versteht sich bei den Verführerinnen fast von selbst: Klara besiegt Karl mit Jiu-Jitsu-Tricks (A 79), Brunelda, die selbst ganz Körper ist, preßt ihn zwischen ihre Arme (A 280). Was die Asozialen betrifft – Delamarche und Robinson – so bedarf deren physische Bedingtheit kaum noch des Beweises, sie tritt, unverdeckt vom Firnis bürgerlicher Konvention, auf groteske Weise ans Licht. Schwerer wiegt, daß auch die bürgerlichen, scheinbar gütigen und hilfreichen Menschen konformistisch ins Lager der Gewalt übergehen, falls sie ihm nicht schon heimlich zugehören. Hierfür ist der aufgedunsene Leib Pollunders ebenso symbolisch bezeichnend wie die Korpulenz der Oberköchin, die sich vom brutalen Oberkellner den Hof machen läßt.

Am wenigsten scheint sich noch Therese, die Gehilfin der Oberköchin in dieses trostlose Bild zu fügen. Sie ist sensibel, hat als Kind Furchtbares erlebt und zeigt große Anhänglichkeit an Karl. Trotzdem aber bleibt sie bei seiner Entlassung ganz passiv. Bemerkenswerterweise läßt sie der Dichter – wie die erste Verführerin Karls oder die Verräterin des Heizers (Line) – aus der Zunft der Küchenmädchen hervorgehen. Auch Schürze, lose aufgestecktes Haar und unordentliche Kleidung (A 205), als bekannte Vokabeln Kafka'scher Bildsprache, sprechen so wenig zu Theresens Gunsten, daß ihre Zugehörigkeit zur Gegenwelt hier zumindest angedeutet scheint.

In dieser Reihe bildet selbst der von Karl so heiß geliebte Heizer keine Ausnahme. Sichtbare Details, vor allem Gebärden, geben über sein wahres Wesen symbolisch Auskunft. Wieder erscheint gleich am Anfang die Geste physischer Besitzergreifung: *Da faßte unversehens der Mann die Türklinke und schob mit der Türe, die er rasch schloß, Karl zu sich herein* (A 11). Weiß man einmal um die bei Kafka stets aussagende Bedeutung der Gebärden (vgl. 20), so erhält auch das folgende Momentbild seinen bestimmten Sinn: *der Heizer . . . wollte im Gehen mit Seitwärtsstoßen des Fußes eine den Weg kreuzende Ratte niedertreten* (A 17 f.). Selbst in den Worten des Heizers

119

verrät sich niedere Gesinnung. So erwähnt Karl vor ihm einmal seinen Koffer, den er an Deck der Obhut eines Bekannten überlassen hat. Der Heizer bemerkt dazu: *Entweder ist der Koffer gestohlen, dann ist keine Hilfe, oder der Mensch bewacht ihn noch immer, dann ist er ein Dummkopf und soll weiter wachen, oder er ist bloß ein ehrlicher Mensch und hat den Koffer stehen gelassen*[82]. Die beinahe kriminelle Sinnesart des Heizers wird hier vielleicht allzu deutlich bestätigt. Bereits in der zweiten Ausgabe (1916) hat Kafka den Sachverhalt wieder verschleiert; er tilgt die verräterischen Worte, so daß die Stelle seitdem wie folgt lautet: *Entweder ist der Koffer gestohlen, dann ist keine Hilfe, oder der Mann hat ihn stehengelassen* (A 12).

Nach dieser Überschau bleibt eines festzuhalten: mit Ausnahme des Helden hat Kafka keine einzige seiner Figuren als sittlich oder überhaupt hinreichend menschlich fühlend gestaltet. Wirkliche, d. h. menschliche Beziehungen können daher im Raum des Romans nicht entstehen, auch nicht im »Heizer«, wo alles menschliche Empfinden allein Karl Roßmanns Sache bleibt. Im Gegenteil: alle anderen Gestalten sind im Grunde Triebwesen, deren Selbstsucht der Dichter durch allerlei Einzelheiten wie im Ganzen überdeutlich, oft drastisch hervorgehoben hat.

So sind denn alle diese „Menschen" lediglich Kreaturen derselben, rein physisch organisierten Triebwelt, sind willige Funktionäre einer an sich sinn- und heillosen Geschäftigkeit, deren eigentliches Wesen vor allem in den großen, gleichnishaften Zwischenbildern zu deutlichster Anschauung gelangt ist (57). Einer solchen Welt gegenüber wird Karl Roßmanns unbeholfenes Klavierspiel allerdings wenig ausrichten – sei es, daß er nun direkt, durchs geöffnete Fenster gegen den lärmtobenden Weltverkehr anzuklingen versucht (A 53), oder daß er sein Lied vor Mack und Klara ertönen läßt (A 103 f.); das Ergebnis ist hier wie dort die totale Gleichgültigkeit einer ausschließlich materiell bedingten Gegenwelt. –

Man möge nicht vergessen, daß beim Gebrauch von Begriffen wie Trieb, Materie oder Physis die Vorstellung des rational Gesetzmäßigen stets einzuschließen ist. Gesetze sind feste Funktionsregeln, die erst die volle Wirksamkeit des sich entfaltenden Triebs gewährleisten. Zwar hat Kafka auch chaotische Triebzustände in Zwischenbildern festgehalten – dies hauptsächlich vor asozialem Milieuvordergrund im zweiten, unvollendeten Teil des Romans (vgl. 57). Um so deutlicher aber tritt die Vielfalt organisierter Triebzustände in den Bildern des Verkehrs oder der Ganglionzellen großer

---

[82] Dies der Wortlaut der Erstausgabe, 1913, S. 8 f.

Fabrik- oder Hotelbetriebe (im ersten Teil) zutage. Zu dieser rein physischen Gesetzlichkeit bilden die Funktionsregeln der Gesellschaft – und damit die Verhaltensweisen ihrer Vertreter – ein sichtbares Analogon. Wie die *Prinzipien* des Onkels, die *Disziplin* des Schiffs, der Fabriken oder des Hotels, scheint auch die patriarchalische Familienstrenge des Vaters oder die unsichtbare Hierarchie im Hause Pollunder eine gewissermaßen naturgesetzliche Geltung zu haben, die sich von der Daseinsordnung außermenschlicher Naturverbände nur dem Grade nach unterscheidet. Selbst der asoziale, schmarotzende Lebenskreis der Brunelda wird durch eine primitive, an die tierische „Hackordnung" erinnernde Ordnungsidee zusammengehalten. Im *Unternehmen Nummer 25* (einem Bordell) scheint schließlich – grotesker Triumph der Organisation – eine Art bürgerlich-bürokratischer Geschäftsordnung, ähnlich jener im Hotel Occidental, wiederzukehren, womit die Vorstellungen von Trieb und Gesetz in bizarrer, aber folgerichtiger Weise zur Deckung gelangen (vgl. 17).

61. ANTITHETIK DER DIESSEITSWELT

Nach allem muß der Zufall der diesseitigen Welt in zwei einander entgegengesetzte Sphären – die „physische" und die „moralische" – als Grundtatsache des im »Verschollenen« erlebten und gestalteten Weltbilds angesehen werden. Schon im »Heizer« wird dieses Problem mit dem Hinweis auf die Unvereinbarkeit von *Disziplin* und *Gerechtigkeit* thematisch berührt (A 42)[83] : Disziplin als das physische Ordnungsprinzip des Schiffs, Gerechtigkeit, als der von Karl verteidigte, menschlich-moralische Weltaspekt. Die hier bereits sichtbaren Antithesen sind absolut, sie bleiben bis zum Schluß des Romans voll wirksam und werden auch durch den scheinbar versöhnlichen Epilog nicht aufgehoben, sondern bestätigt.

Es ist bemerkenswert, mit welcher Ausschließlichkeit und Konsequenz sich dieses Weltbild im erzählerischen Aufbau des Romans verwirklicht. Sammelt sich auf der einen Seite alles menschlich-sittliche Empfinden allein in der Person Karl Roßmanns – dem subjektiven Zentrum alles Erzählten – so enthüllt sich die gesamte ihn umgebende, objektive Welt als der Inbegriff feindlicher Triebgewalten. Durch solch weitgehende Isolierung seines

---

[83] Durch die hier im MS gestrichenen Worte: „Gerechtigkeit und Disziplin mischen sich aber nicht" wird dies noch deutlicher.

moralischen Helden (aus dessen Unschuldsperspektive er ständig erzählt) steigert Kafka die existenzielle Widersprüchlichkeit der Aspekte, ihr gegenseitiges Sichausschließen, bis zur Grenze grotesker Paradoxie[84]. Sie scheint vor allem in den fragmentarischen Schlußpartien, so in der »Ausreise Bruneldas« erreicht zu sein, wenn der noch immer kindliche Karl Roßmann, nun als Diener oder Bote eines leibhaftigen Bordells, die Bildfläche betritt. Nirgends in den übrigen Erzählungen oder Romanen Kafkas finden wir die Antithetik der Welt mit gleicher, drastischer Überschärfe gestaltet, denn, da die moralische Integrität der Erwachsenen Bendemann, Samsa und K. zweifelhaft, die sittliche Komponente also wenig ausgeprägt erscheint, entsteht von ihnen aus ein nur geringer Kontrast zur Umwelt. Im »Verschollenen« dagegen enthüllt sich mit der Einführung eines k i n d l i c h e n Helden und der damit wirksam werdenden moralischen Idee das heillose Gespaltensein einer von Gott verlassenen, zur Hölle gewordenen Diesseitswelt in kaum zu überbietender Schärfe.

Wo immer sich die Grundantithese der Welt in dramatische Aktion umsetzt, — wie es mehrmals im Roman geschieht — so darf der Ausgang nicht zweifelhaft sein: gebunden an das moralisch-menschliche Gesetz seines Charakters, muß Karl Roßmann gegen die Naturgesetze der nur physisch organisierten Umwelt mit Notwendigkeit vorstoßen. Vom Standpunkt jener Physis — mag sie durch den Vater, den Onkel oder den Oberkellner repräsentiert sein — wird Karl daher „zu recht" und im Sinne der „Disziplin" als der Schuldige betrachtet werden müssen. *Der Oberkellner . . .* so bemerkt die Oberköchin *hat deine Schuld klar ausgesprochen, und die scheint mir allerdings unwiderleglich* (A 215). Notwendig und durch sein bloßes Dasein muß sich also Karl Roßmann gegen die physische Logik jener Gesetze vergehen, muß in ihrem Sinne schuldig gesprochen und bestraft werden. Das gilt für die bürgerliche Sphäre des ersten, wie für die außerbürgerliche, asoziale Welt des zweiten Teils.

---

[84] Diese für den »Verschollenen« so charakteristische Methode findet sich bei Dickens vorgebildet, was Kafka später selbst erkennt. In einer Notiz vom 8. 10. 1917 nennt er seinen Roman, vor allem hinsichtlich der *Methode*, eine *glatte Dickensnachahmung* (T 535 f.); vgl. 69. Freilich pflegt Dickens die Unmittelbarkeit der kindlichen Perspektive durch vermittelndes Einschalten des Erzählers bedeutend abzuschwächen, so z. B. auch in dem autobiographischen Ich-Roman »David Copperfield«; vgl. 36, Anm. 53.

Karl Roßmanns objektive „Schuld", sein Vergehen gegen die Logik einer nach außermenschlichen Gesetzen richtenden, materiell bestimmten Gesellschaft, gegen *Disziplin* und *Prinzipien*, muß als durchaus reales, erklärbares Faktum anerkannt werden. Sie ist zugleich Hauptbestandteil der im „Mythos" gegebenen schematischen Handlungsfolge: Geborgenheit — Verführung — Strafe, in welcher sich Charakter und Struktur jener Gesellschaft scheinbar eindeutig offenbaren.

Nicht unbedingt logisch dagegen erscheint das A u s m a ß der über Karl verhängten Strafe, die doch letztlich auf die Vernichtung seiner Existenz, den Tod, hinausläuft. Selbst wenn man von allen humanen Bedenken der „Gerechtigkeit" einmal absieht und allein vom materiellen Gesellschaftsinteresse aus zu urteilen versucht, kann die kompromißlose Verstoßung des „schuldigen" Einzelnen nicht sinnvoll genannt werden. Je ausbeuterischer und egoistischer sich diese Gesellschaft in der Tat verhält, desto weniger leuchtet ein, warum sie sich ihres eifrigsten und ergebensten Sklaven bei erster Gelegenheit und ohne Not entledigt. Der Onkel selbst empfindet das eigentlich Irrationale seines Urteils: die Trennung vom Neffen, die er selbst anordnete, scheint ihm am Schluß seines Briefes *unfaßlich* (A 108). — Am stärksten aber wird der Mangel an sozialer Logik spürbar, wenn der eigene, leibliche Vater das Urteil ausspricht und vollstreckt. Die lapidare Feststellung: *weil ihn ein Dienstmädchen verführt und ein Kind von ihm bekommen hatte* (A 9) kann schließlich nicht als zureichende Begründung einer so ungeheuerlichen Strafe gelten. Auch der von Karl selbst mit Skepsis gehörte spätere Hinweis des Onkels auf die *Vermeidung der Alimentenzahlung* (A 36) klingt in jeder Beziehung fragwürdig; er wäre allein durch die Tatsache der Unmündigkeit des erst Sechzehnjährigen zu widerlegen. Somit bleibt gerade hier, wo sich das Grundthema des Romans in seiner ursprünglichen Gestalt zu erkennen gibt, eine Rekonstruktion ausreichender Handlungsmotive nahezu ausgeschlossen. Eine Entwicklung solcher Motive hat der Dichter offenbar nicht beabsichtigt; vielmehr bleibt der krasse Widerspruch zwischen der geringen objektiven Schuld und dem *unfaßlichen* Übermaß der Strafe bis zum bitteren Schluß bestehen. Dem Verhalten derer, die als Richter Karl Roßmanns Untergang herbeiführen, fehlt jede psychologische oder soziale Erklärung. Es waltet darin jenes *Rätselhafte, das alle Tyrannen haben, deren Recht auf ihrer Person, nicht auf dem Denken begründet ist* (H 169).

63. DER VATER

Die besondere Stellung des Vaters ergibt sich bereits aus dem ursprünglichen Übertitel der drei als Trilogie gedachten Erzählungen »Die Söhne«, mit denen die Geschichte vom „Verschollenen" organisch zusammenhängt. Wie überall dort, ist auch hier – im Roman – der Vater U r h e b e r des vom Helden erlittenen tragischen Geschicks. Um so bemerkenswerter, daß seine Gestalt weit in den Hintergrund einer nicht völlig preisgegebenen Vorgeschichte zurücktritt, wie es der Absicht des Dichters entsprach. So bringen Karls gelegentliche Erinnerungen an den Vater nur geringe Aufklärung (vgl. 13). Eines Nachts versucht er bei schwachem Kerzenlicht auf einer Photographie *von verschiedenen Seiten den Blick des Vaters aufzufangen. Aber der Vater wollte, wie er auch den Anblick durch verschiedene Kerzenstellungen änderte, nicht lebendig werden* (A 117). Für die in menschlich-sittlichem Betracht ungeheuerliche Tat des Vaters – der naive Karl hat sie in ihrem Umfang längst nicht erfaßt – für die Verstoßung des verführten Sohnes, werden die Motive nicht einmal mittelbar angegeben. Somit bleibt allein noch die Möglichkeit, zwischen den Vatergestalten in den »Söhnen« (und damit im »Verschollenen«) und der sehr eigenen, exzentrischen Vorstellung, die sich der Dichter von seinem wirklichen Vater Herrmann Kafka gebildet hatte, jenen Zusammenhang aufzusuchen, auf den der mehr als 60 Druckseiten lange, bekenntnishafte „Brief an den Vater" aus der Feder des 36jährigen Sohnes zwangsläufig hinführt.

Der Brief verrät, welch beherrschenden Platz der Vater im Bewußtsein des vollerwachsenen Sohnes einnimmt. Zunächst schildert er die väterliche Überlegenheit (auch im physischen Sinne) und das oft in Jähzorn umschlagende Temperament. Folgenschwer ist vor allem die verächtliche Haltung gegen die Heiratsabsichten des Sohnes, die der Vater als Bosheit, Ungehorsam, ja Unanständigkeit auslegt (H 163 und H 168). Diese Haltung findet sich im »Urteil« geradezu drastisch zum Motiv gestaltet (vgl. 13)[85]. Der größte Teil des Briefes schildert den Vater, wie Kafka ihn als Kind sah, aus einer elementaren, fast biblisch-mythischen Perspektive. Für das Kind ist der Vater *riesenhaft in jeder Hinsicht* (H 179), er ist *die letzte Instanz* (H 167), *das Maß aller Dinge* (H 168). Sein *Aufwand von Zorn und Bösesein* steht *zur Sache selbst in keinem richtigen Verhältnis* (H 179), alles, was

---

[85] Dort nämlich wird der ferne Petersburger Freund – der Junggeselle ist – dem Sohn geradezu als Muster vorgehalten: *Er wäre ein Sohn nach meinem Herzen*, ruft der Vater aus (E 63).

er dem Kinde zuruft ist *geradezu Himmelsgebot* (H 172). Die väterliche Strenge zerstört das Selbstgefühl des Sohnes und weckt *grenzenloses Schuldbewußtsein* (H 196). Was der Vorstellungs- und Gefühlskomplex „Vater" für Kafkas dichterische Versuche bedeuten mußte, hat er selbst im Zusammenhang eben dieses Briefes ausgesprochen: *Mein Schreiben handelte von Dir, ich klagte dort ja nur, was ich an Deiner Brust nicht klagen konnte* (H 203).

Wenn sich bestimmte, von Kafka am Vater beobachtete Züge mit dem Vaterbild Karl Roßmanns auffallend decken, so kann es dennoch nicht Kafkas Absicht gewesen sein, ein Portrait des Vaters im individuell-autobiographischen Sinne zu schaffen. Wie wenig es ihm auf die Fixierung individueller Züge ankommt, mag am Beispiel des schon einmal erwähnten (11) Roßmann'schen Familienphotos aus dem Kapitel »Weg nach Ramses« erläutert werden: Im Zustand schlimmster Verlassenheit entdeckt Karl im Reisekoffer eine fast vergessene Photographie seiner Eltern, *auf welcher der kleine Vater hoch aufgerichtet stand, während die Mutter in dem Fauteuil vor ihm, ein wenig eingesunken, dasaß. Die eine Hand hielt der Vater auf der Rückenlehne des Fauteuils, die andere, zur Faust geballt, auf einem illustrierten Buch, das aufgeschlagen auf einem schwachen Schmucktischchen ihm zur Seite lag* (A 117). Die bekannte innerfamiliäre Machtstellung des Vaters ist damit mimisch klar charakterisiert, so wenigstens aus der Sehweise Karl Roßmanns; ein autobiographischer Bezug scheint nahezuliegen. Zwar bildet in der Tat eine wirkliche Photographie aus Kafka'schem Familienbesitz die Vorlage dieser Beschreibung. Das Photo aber stellt nicht die Eltern, sondern die Großeltern Franz Kafkas dar: Man erkennt den hochaufgerichteten Mann (d. i. Jakob Kafka, der Vater des Vaters) und das Schmucktischchen mit der darauf ruhenden, zur Faust geballten Hand. Genau wie im Roman liegt die andere Hand auf der Rückenlehne des Sessels, auf dem sich eine bescheiden wirkende Frau, Kafkas Großmutter, niedergelassen hat[86].

Bestätigt eine derartige Bildassoziation die Beziehung zum persönlichen Ich des Dichters, so zeigt sie doch zugleich, wie hier die an sich verschiedenen Vatergestalten – Vater und Großvater – zu einer Gesamtvorstellung verschmelzen, aus der alle individuellen und wirklichen Züge verschwunden sind, wie es Karl Roßmann auch selbst empfindet. Ergebnis solcher Kontamination der Bilder bleibt die Idee der väterlichen Macht als einer überindividuellen, wie es scheint mythischen Gegebenheit. Es bedarf keiner Frage, daß auch die sonst noch auftretenden vaterähnlichen Gestalten als

---

[86] Abbildung in: Wagenbach, F. K., e. Biographie s. Jugend, bei S. 17.

Ausprägungen derselben Vater-Idee aufzufassen sind. Das gilt für Karls Adoptivvater, den Senator Jakob, der übrigens durch seinen Namen mit dem eben genannten Großvater J a k o b Kafka enigmatisch verbunden zu sein scheint; es gilt aber auch für die Väter Samsa und Bendemann in der »Verwandlung« und im »Urteil«. Als gnadenloser, vergeltungssüchtiger Tyrann ist der Vater – oder die ihn vertretende Gestalt – die für den Helden jeweils erste und letzte, jedenfalls schicksalsbestimmende Instanz, an deren übermächtigem Dasein er am Ende scheitert[87].

Die merkwürdige Auflösung der Individualität, das überpersönliche Wesen der Vaterfigur scheint die hier schon geäußerte These, daß der Söhne-Mythos einen transzendenten Hintergrund haben müsse, zu bestätigen (vgl. 12). Um welchen Hintergrund es sich dabei handelt, hat der versteckte Gebrauch alttestamentlicher Symbole, vor allem solcher des Sündenfalls nahegelegt. Ist aber die transzendente Bedeutung des „Mythos" einmal anerkannt, so bleibt zu fragen, ob hinter der rätselhaft tyrannischen Persönlichkeit des Vaters das archaisch-jüdische Bild des strafenden Vatergottes gesehen werden darf, der den von ihm erzeugten Menschensohn aus dem Paradies verstößt und zur Sterblichkeit verurteilt. Der Mangel an realer Motivation im Verhalten des Vaters, die gleichwohl durch mehrfache Wiederholung behauptete Notwendigkeit des mythischen Vorgangs, würde damit eine weitgehende Erklärung finden.

64. KAFKA UND DAS ALTE TESTAMENT

In einem bisher wenig beachteten Essay weist R. Steinberg auf einen Umstand hin, der die Annahme eines bestimmten religiösen Hintergrunds der „Söhne" auch von der biographischen Seite her zu stützen scheint[88]. Wie Kafka selbst gewissenhaft vermerkt, begann und vollendete er die erste Niederschrift seiner Sohnesgeschichte »Das Urteil« in der Nacht vom 22. zum 23. September 1912, das heißt, genau einen Tag nach dem Ende des jüdischen Versöhnungsfests Jom Kippur (T 293 f.)[89]. Im Zentrum dieser Feier steht das Bewußtsein der menschlichen Schuld, das Bekenntnis der Sünde,

---

[87] vgl. hierzu W. Jacobi, S. 74 ff.

[88] Steinberg, S. 23 ff.

[89] Der 10. Tischri (= Versöhnungstag = Jom Kippur) beginnt i. J. 1912 am Abend des 20. Septembers mit Sonnenuntergang und währt bis zum Abend des 21. Septembers (wiederum bis Sonnenuntergang). Nach: Vergleichende Datumtabellen auf 216 Jahre, Wien 1885.

welche durch die im Gebet herbeigeflehte Gnade getilgt werden soll[90]. Daß die Frage der Schuld tatsächlich das zentrale Thema des »Urteils« bildet, braucht kaum erst erinnert zu werden. Steinberg zieht hieraus den freilich noch spekulativen Schluß, daß Jom Kippur, das höchste religiöse Fest der Juden, den unmittelbaren inneren Anlaß zur Konzeption der Erzählung gegeben habe. Da der Inhalt jenes Fests mit dem im »Urteil« erstmals erscheinenden Schuldmythos allerdings zusammenhängt, und da außerdem ein gewisses, wenn auch problematisches Interesse Kafkas am religiösen Leben der Juden Tatsache ist, halte ich Steinbergs These für wahrscheinlich.

Über den geheimen Hintergrund seiner Erzählung hat der Dichter jedoch kaum Rechenschaft abgelegt – auch nicht vor sich selbst. Vielmehr deuten seine ersten Äußerungen zum »Urteil« auf das Unbestimmt-Geheimnisvolle des Schaffensvorgangs: die Geschichte *entwickelt* sich vor ihm (T 293), er vergleicht sie einer Geburt (T 296) und muß sich über ihre inneren Beziehungen, soweit er sie überhaupt *gegenwärtig* hat, erst klarwerden (T 296). Sagbar und fast selbstverständlich sind nur die persönlichen Beziehungen: auf sich selbst (und damit auf den Vater), sowie auf die Braut F. B. (Felice Bauer – *Frieda Brandenfeld*), wie die Kryptonyme verraten (T 297). Das alles wird aber erst nachträglich bewußt. – Auch über die gemeinsame Idee der Trilogie »Die Söhne« wird nicht mehr viel gesagt, als daß *eine offenbare und noch mehr eine geheime Verbindung* unter den Geschichten bestehe (Br 116). Im »Heizer« stößt Kafka auf *unzugängliche Tiefen* (T 305) oder *unterirdische, finstere, niedrige, häßliche Gänge*, wie es noch Jahre später in einem Brief an Milena heißt (Br M 48). Der Dichter selbst deutet somit auf eine in den »Söhnen« wirksame tiefere Erlebnisschicht hin, über deren Wesen er sich voller Scheu ausschweigt.

Erst der einer späteren Schaffensphase angehörende „Prozeß“ schafft mit der berühmten Dom-Szene ausdrückliche Beziehungen zwischen K.s Fall und einem Bereich allgemein religiöser Symbolik, der die geheimnisvolle Türhüter-Legende samt ihren an den Geist der Thora gemahnenden Exegesen einschließt. In denselben Bereich gehört zeitlich wie thematisch die den »Söhnen« nahestehende Erzählung »In der Strafkolonie« (Oktober 1914). Auch in ihr gibt es den Gleichnisbezug zum Straf- und Rachegedanken des Alten Testaments (vgl. 67).

Ein ganzes Jahr später finden sich zum ersten Male Spuren einer reflektierenden Auseinandersetzung mit religiösen Fragen im Tagebuch. Für die folgende wichtige Äußerung hat wieder das Versöhnungsfest, an dessen

---

[90] Nach: Monumenta Judaica, S. 730 f.

Vorabend und Beginn (dem 16. 9. 1915) sie erfolgt, den Anlaß gegeben: *Anblick der polnischen Juden, die zum Kol Nidre gehn. Der kleine Junge, der, unter beiden Armen Gebetmäntel, neben seinem Vater herläuft. Selbstmörderisch, nicht in den Tempel zu gehn* (T 479)[91]. Kafkas problematisches Verhältnis zur Religion seiner Väter ist damit angedeutet, der Problemkreis von Sünde und Strafe berührt. Im Zeitpunkt dieser Äußerung darf man sehr wohl eine Bestätigung auch des Zusammenhangs zwischen der Entstehung des »Urteils« und dem Versöhnungstag des Jahres 1912 erblicken. – Auf die eben zitierte Notiz folgen die Sätze: *Bibel aufgeschlagen. Von den ungerechten Richtern. Finde also meine Meinung, oder wenigstens die Meinung, die ich in mir bisher vorgefunden habe.* Der Versöhnungstag gab also wohl Anlaß zu alttestamentlicher Lektüre. Die Geschichte *von den ungerechten Richtern* (aus der „Geschichte von der Susanna und Daniel" der Apokryphen), jener beiden Männer, deren Unkeuschheit und Lüge der Herr nach dem Gesetz Mose mit dem Tode bestrafen läßt, ist hier auf den vertrauten Vorstellungskomplex Sünde-Strafe nachträglich bezogen. Erinnert man sich an die Bemerkungen zum »Urteil«, so überrascht es kaum, wenn Kafka bereits im nächstfolgenden Satz Beziehungen im Sinne bewußter Motivübernahme leugnet: *Übrigens hat es keine Bedeutung, ich werde in solchen Dingen niemals sichtbar gelenkt, vor mir flattern nicht die Blätter der Bibel.*

Nur zwei Wochen nach der obigen Aufzeichnung, am 30. 9. 1915, greift Kafka noch einmal auf den Ideenkreis Schuld-Strafe zurück, diesmal in deutlicher Beziehung auf die bisherige dichterische Produktion. Es erscheint jetzt die bekannte Notiz: *Roßmann und K., der Schuldlose und der Schuldige, schließlich beide unterschiedslos strafweise umgebracht . . .* (T 481).

Das Jahr 1915 bietet im Vergleich zu früheren Jahren einen viel geringeren Bestand an Aufzeichnungen aller Art, der in den Jahren 1916 und 1917 noch weiter abnimmt. Dennoch sind gerade 1916 die Hinweise auf das Alte Testament und Fragen der jüdischen Religion reichlicher als zuvor. So erscheinen gegen Mitte 1916 – z.T. fast wörtlich zitiert – knappe Auszüge aus der Genesis: *Und sie hörten die Stimme Gottes des Herrn, der im Garten ging, da der Tag kühl geworden war. / Ruhe Adams und Evas. / Und Gott der Herr machte Adam und seinem Weibe Röcke von Fellen und kleidete sie. / Wüten Gottes gegen die Menschenfamilie. / Die zwei Bäume, /*

---

[91] „Am Vorabend, zu Beginn des Versöhnungstages, vor dem eigentlichen Abendgebet, wird das nach seinen Anfangsworten *Kol Nidre* genannte Gebet – es ist eigentlich mehr ein Bekenntnis – vom Vorbeter stehend der Gemeinde rezitiert" (Monumenta Judaica, S. 730 f.).

das unbegründete Verbot, | die Bestrafung aller (Schlange, Frau und Mann), | die Bevorzugung Kains, den er durch die Ansprache noch reizt. | Die Menschen wollen sich durch meinen Geist nicht mehr strafen lassen. (T 502) Wichtig scheint hier, daß Kafka, neben dem Übermaß der Strafe *(Wüten Gottes)* auch deren fehlende Begründung hervorhebt, zwei Momente, die die Erinnerung an den Mythos des »Verschollenen« sogleich wachrufen. – Nur wenige Tage später und fast an der selben Stelle erscheint dann das lapidare Bekenntnis: *Nur das Alte Testament sieht – nichts darüber noch sagen* (T 504). Kafkas Scheu vor direkten Aussagen über eine, seine innerste Existenz angehende Überzeugung wird hier wiederum deutlich. Noch einmal, unter dem Datum des 14. Juli 1916, werden biblische Themen (die Sünden Isaaks und Jakobs) ohne Kommentar genannt, bis schließlich (am 20. Juli 1916) ein verzweifelter, religiös gefühlter Anruf die Beziehung des Ideenbereichs Sünde-Strafe zur eigenen Daseinserfahrung herstellt: *Erbarme dich meiner, ich bin sündig bis in alle Winkel meines Wesens . . . | Bin ich verurteilt, so bin ich nicht nur verurteilt zum Ende, sondern auch verurteilt, mich bis ins Ende hinein zu wehren* (T 508).

An die Stelle der spärlicher werdenden Notizen des Tagebuchs treten seit dem Winter 1916/17 die „blauen Oktavhefte", deren Aufzeichnungen im vorletzten und letzten Heft einen aphoristischen Charakter annehmen. Damit scheint – gegen Ende 1917 – eine Phase philosophischer Weltbetrachtung einzusetzen, für die in der früheren Zeit kaum Beispiele zu finden sind. Jetzt erst beginnt auch eine relativ ausgebreitete scharfe, ja dialektisch-paradox formulierende Auseinandersetzung mit dem Thema des Sündenfalls. Der alttestamentliche Mythos ist hier geradezu das Leitthema des ganzen Hefts, das mit den Worten schließt: *Die Vertreibung aus dem Paradies war daher keine Tat, sondern ein Geschehen* (H 106). Von späteren Äußerungen sei hier nur noch eine in den Briefen an Milena enthaltene Stelle genannt, sie lautet: *manchmal glaube ich, ich verstehe den Sündenfall wie kein Mensch sonst* (BrM 199).

Man könnte nach dieser Überschau vermuten, daß die Gestaltung des alten Schuldmythos, wie sie Kafka zuerst im »Urteil« unternahm, durch eine – vielleicht unbewußte – Wirksamkeit religiöser Momente aus Umwelt und Erziehung zustandekam. Jedoch bestätigen die gegebenen Einzelheiten im Grunde nur, was die Analyse des Romans schon vermuten ließ: Kafka g l a u b t e an das Dasein einer metaphysischen, allgemeinen Urschuld des Menschen, als deren Träger er zumindest sich selbst betrachtete, er glaubte an die Realität der Erbsünde und der ihr impliziten universellen Strafe.

Dieser Glaube, oder besser dieses Wissen Kafkas — eine Lebenserfahrung von ungewöhnlicher, schon an sich genialer Intensität, die in seiner Person mit einer außerordentlichen dichterischen Begabung zusammentraf — war dennoch von religiöser Bedingtheit unabhängig. Die Chronologie der Aufzeichnungen läßt vielmehr vermuten, daß Kafka die Identität (oder Parallelität) seiner Überzeugung mit dem Urmythos des Alten Testaments erst nachträglich entdeckte, und sich dadurch in seinem Glauben bestätigt fand. Auch in der letzten, philosophischen Phase seiner aphoristischen Aufzeichnungen ist dieser Glaube voll lebendig, ja tritt erst hier auch außerhalb der Dichtung klar und bestimmt zutage[92].

65. Physische und metaphysische Position des Vaters

Zumindest in den »Söhnen« — den »Verschollenen« eingeschlossen — offenbart sich Kafkas „Dogma" im mehrmaligen Verlauf des zur biblischen Sündenfall-Geschichte analogen „Mythos" als gemeinsames poetisches Konzept. Da es der V a t e r ist, der den Mythos persönlich und aus eigener Machtvollkommenheit konstituiert, muß — und dies ist von entscheidender Bedeutung — die diskursive Trennung zwischen realem und transzendenten Vaterbild letztlich aufgegeben werden[93]. Sehen wir im »Verschollenen« den Vater auch als physische Gestalt, so wird doch allein durch das Rätselhafte und Drohende seiner Machtwaltung ein transzendenter Hintergrund stets mitgeahnt[94]. Umgekehrt wirkt die poetische Umsetzung jener Transzendenz in

---

[92] Die Idee der Erbsünde behauptet ihre Geltung auch außerhalb religiöser Dogmatik. So findet sie etwa in der durchaus nicht theistischen Philosophie Schopenhauers volle Anerkennung (vgl. Die Welt als Wille und Vorstellung II, Kap. 48).

[93] In seiner Analyse der »Urteils« hebt Politzer die (auch dort stattfindende) Verschmelzung von Realität und Mythos im Bilde des Vaters hervor, die er freilich als nicht gelungen bezeichnet — so, als habe sich Kafka zwischen „Vater-Imago und echter Divinität" nicht entscheiden können (S. 98).

[94] In diesen Zusammenhang gehört eine seltsame, von Kafka später weggelassene Stelle im MS zum »Heizer«. Der Kapitän entschuldigt sich dort vor dem Onkel für die unerfreulichen Verhältnisse, denen Karl auf seiner Überfahrt ausgesetzt war. Auf seine Äußerung: *Aber die Fahrt im Zwischendeck war wohl sehr arg, ja, wer kann denn wissen, wer da mitgeführt wird* (A 39) folgen im MS die Worte: „Einmal ist z. B. auch der Erstgeborene des obersten ungarischen Magnaten, der Name und der Grund der Reise ist mir schon entfallen, in unserem Zwischendeck gefahren ...". Offenbar transponiert die Geschichte den von Karl selbst erlebten Vater-Sohn Konflikt in eine noch geheimnisvollere Dimension.

die gleichsam geschrumpfte Figur der Väter Bendemann, Samsa und Roßmann unheimlich und befremdend. Nicht sogleich ist einzusehen, warum
Kafka bei allem Festhalten am Dogma physische Merkmale des Vaters oft
bis zur Groteske hervorhebt. Im »Urteil« etwa erblickt man ihn nur unvollständig bekleidet, in *nicht besonders reiner Wäsche* (E 62); einmal hebt er
*sein Hemd so hoch, daß man auf seinem Oberschenkel die Narbe aus seinen
Kriegsjahren sah* (E 64). Vater Samsa besitzt ein *starkes Doppelkinn* (E 116),
Roßmanns Vater ist klein, hält sich aber aufgerichtet und trägt einen *waagrechten, starken Schnurrbart* (A 117). Es geht sicher nicht zu weit, wenn
man derartig krasse Profanierungen der väterlichen Allmacht als verzweifelten Abwehrversuch, als Trotzreaktion und Selbstbehauptung des ohnmächtigen Einzelwesens – des Sohnes – deutet. Tatsächlich wird hierdurch
ja die Integrität des Vaterbildes, wenn auch auf versteckte Weise, erheblich geschmälert. Jedenfalls ergibt die stark überzeichnete, an Sternheim'sche „Helden"-Typen erinnernde vitale Physiognomie des kleinbürgerlichen Familientyrannen auf der einen Seite, seine mythisch gebundene,
metaphysisch-göttliche Funktion auf der andern, ein im Ganzen zwiespältiges, ja zwielichtiges Bild. An der transzendenten, existenzvernichtenden
Machtstellung der väterlichen Person ändern solche Abstriche jedoch nichts,
wie der tödliche Ausgang aller drei Sohnesgeschichten schließlich beweist. –
Eine vergleichende Tendenz zur Profanierung der übermenschlichen Allmacht, die dort freilich nur von unteren Funktionärsinstanzen vertreten
wird, findet sich in den späteren Romanen »Der Prozeß« und »Das Schloß«;
man denke nur an das zwielichtige Walten der zahlreichen Gerichts- und
Schloßbeamten. Der Gedanke, daß sie alle Repräsentanten einer patriarchalischen Autorität seien, daß dem Vater gewissermaßen auch dort ein geheimes, unsichtbares aber darum nur umso mächtigeres Dasein zukomme,
scheint mir keineswegs absurd. Erst kürzlich hat sich M. Pasley dahingehend geäußert[95]. Als Indiz sei noch eine vom 29. Juli 1914 datierte Tagebuchskizze Kafkas angeführt. Sie enthält einleitende Sätze einer zur Konzeption des Prozeß-Romans gehörenden, nicht fortgeführten Erzählung:
Josef K., der Sohn eines reichen Kaufmanns, ging eines Abends nach einem

---

[95] „as Kafka's work develops (already in ›Der Prozeß‹, for example) we find a tendency
for the ‚father' to abandon his manifestly hostile pose, and to withdraw into
inaccessible obscurity, taking with him the key to the secret laws which operate
in the world confronting the hero. The urge to penetrate to the withdrawn authority,
and to wrest this key from him, provides the dynamic of many later stories, notably
‚Das Schloß'" (Two Kafka Enigmas, S. 79 f.).

großen Streit, den er mit seinem Vater gehabt hatte – der Vater hatte ihm
sein liederliches Leben vorgeworfen und dessen sofortige Einstellung ver-
langt – ... in das Haus der Kaufmannschaft ... Der Türhüter verneigte
sich tief (T 414).

66. KARL ROSSMANNS METAPHYSISCHE SCHULD

Noch v o r jedem Fragen nach der Einwirkung transzendenter Vorstel-
lungskategorien auf das Konzept des »Verschollenen« war es nötig gewesen,
Kafkas Unterscheidung zwischen einem menschlichen (subjektiven) und disziplinarischen (objektiven) Schuldmaßstab klar zu erfassen. War mit Kafkas
eigenen Worten sein kindlicher Held – im Gegensatz zu den erwachsenen
Helden – von menschlich-moralischer Schuld so gut wie völlig frei zu sprechen (*Roßmann ...*, *der Schuldlose ...*), so blieb doch andererseits sein
mehrfacher Verstoß gegen die soziale *Disziplin* als zwar geringes, doch reales
Schuldfaktum bestehen. Ist indes das heimliche Obwalten einer transzendenten Macht im Roman einmal erkannt, der metaphysische Blickpunkt also
eröffnet, so wird damit jede weitere Diskussion über den objektiven oder
subjektiven Schuldanteil des Helden eigentlich überflüssig. Metaphysisch
betrachtet ist nämlich auch Karl Roßmann, der Mensch, ganz im Sinne der
Erbsünde schon a priori, dh. von Geburt an, ein Schuldiger[96]. Hier gilt der
allgemeine Satz: *Sündig ist der Stand, in dem wir uns befinden, unabhängig*
von Schuld (H 101) oder *Die Schuld ist immer zweifellos* (E 206), wie es der
Offizier der Strafkolonie als Exekutor des *alten Kommandanten* ausspricht
– ein Urteil, das über alle moralisch-menschlichen oder disziplinarischen
Maßstäbe hinweg gefällt und ausgeführt wird. So steht denn fest, daß Karl
Roßmann, genauso wie die Bendemann, Samsa und K., dem Zwang des
Sündenfalls unterliegt. Die offenbare Paradoxie des Satzes von *Roßmann ...,*
dem Schuldlosen, der schließlich *strafweise umgebracht* wird (T 481), läßt
sich nunmehr auflösen. Sie beruht auf dem Wechsel vom menschlichen
(*schuldlos*) zum metaphysischen (*strafweise*) Blickpunkt, der sich hier innerhalb der Satzaussage prägnant und in überraschender Pointierung vollzieht.
M e t a p h y s i s c h also erhält die vom realistischen Standpunkt rätselhafte,
wenn nicht widersprüchliche Geschichte von Karl Roßmanns Disziplinar-
verletzung samt ihren fragwürdigen Ursachen und Folgen (Verführung,

---

[96] Emrich räumt immerhin ein, daß „Kafkas Schuldbegriff der religiösen Erbsünden-
lehre" am nächsten zu kommen scheint (S. 54).

Verstoßung) ihren tiefen Sinn, der sich aus der überall wirksamen geheimen Analogie zum Handlungsmodell des Sündenfalls erschließen läßt. Das Widersprüchliche der Romanfabel, das nach menschlichem Ermessen evidente Mißverhältnis zwischen der geringen tatsächlichen Schuld des Helden und dem Übermaß der Strafe, beruht daher nicht auf einem Unvermögen[97] des Dichters zu ausreichender Motivation, sondern ist Hauptbestandteil seiner Aussage. Je geringfügiger Karl Roßmanns Vergehen, je reiner sein moralischer Charakter, desto tiefer und schmerzlicher muß die absolute Geltung des metaphysischen Schuldspruchs empfunden werden.

Sehr wohl mag man in solcher Überzeichnung der Antithesen, in der kindlichen Unschuld des Helden und der grenzenlosen Grausamkeit der Strafe, einen elementaren Protest des Menschen Kafka gegen die Allmacht jenes übermenschlichen und darum unmenschlichen Strafgesetzes erblicken, einen Protest der sich eben nur in mittelbarer Weise, das heißt nur im dichterischen Gleichnis äußern mochte. Insofern war Kafkas „Schreiben" die einzige Gegen- und Abwehr, die der an sich ohnmächtige Mensch gegen die metaphysischen Mächte einzusetzen hatte. Nicht zuletzt um ihrer Überwindung willen hat Kafka diese menschliche Ohnmacht immer wieder und überdeutlich gestaltet, genauso wie er die Übermacht der außermenschlichen Strafinstanz ins fast Unerträgliche zu verbildlichen wagte. Die Schilderung der Hinrichtungsmaschine in der »Strafkolonie« bildet hier den Höhepunkt. Daß er dennoch ihr Dasein und Wirken im letzten Sinne als g e r e c h t empfand, bleibt das hinzunehmende Paradoxon seiner im Schnittpunkt von humaner und metaphysischer Weltperspektive gelegenen Existenz[98].

67. ALTES UND NEUES TESTAMENT

Wie die Betrachtung des Schlußkapitels zeigte, bilden die dort zahlreich vorhandenen Anspielungen auf neutestamentliche Motive einen durch Tra-

---

[97] Im »Urteil« hat Politzer das (dort allerdings nur scheinbare) ähnliche Mißverhältnis bemerkt: „Wenn wir genauer zusehen, läßt sich im Text der Geschichte von Georgs Leben keine Schuld entdecken, die ein Urteil von solcher Härte rechtfertigte". Dieses Fehlen einer realen Schuld nennt Politzer einen „technischen Mangel" (S. 102).

[98] Camus hatte dies schon 1943 klar erkannt: „Die unausgesprochene Auflehnung" sei es, die Kafka zum Schreiben zwinge (S. 106); und an anderer Stelle: „Kafka streitet seinem Gott die moralische Größe, die Offenbarung, die Güte und die Kohärenz ab – aber nur, um sich desto eifriger in seine Arme zu werfen" (S. 110).

vestie und Groteske teils versteckten, teils offenbaren Bezugshintergrund. Hauptgegenstand der Ironie – das verrät der Zusammenhang – ist der vom Dichter letztlich nicht anerkannte Erlösungskult des christlichen Glaubens. Bedenkt man, daß Kafka die frohe Botschaft als illusionäres Nachspiel, den Erbsündenmythos des Alten Testaments aber im Hauptteil des Romans als tragische Wahrheit gestaltet, so möchte man hierin beinahe ein verhülltes Bekenntnis zum Glauben seiner Väter erblicken.

Zur Erläuterung bietet sich die zur gleichen Zeit, im Oktober 1914 entstandene Erzählung »In der Strafkolonie« geradezu an. Das alte und das neue Strafgesetz, der alte und der neue Kommandant verhalten sich dort wie der Geist der Rache zu dem der Gnade. Auch hier aber liegt die Wahrheit allein in der Furchtbarkeit der a l t e n Gesetze: ihnen gegenüber erscheint die neue, humane Ära nur als fragwürdiges Interregnum, dessen dereinstiges Ende sich gegen Schluß bereits abzeichnet. Ganz in diese Vorstellungen fügt sich Kafkas folgende Notiz: *Aus der alten Geschichte unseres Volkes werden schreckliche Strafen berichtet. Damit ist allerdings nichts zur Verteidigung des gegenwärtigen Strafsystems gesagt* (H 325).

68. Die Vertreibung aus dem Paradies

Die Vertreibung aus dem Paradies ist in ihrem Hauptteil ewig: Es ist also zwar die Vertreibung aus dem Paradies endgültig, das Leben in der Welt unausweichlich, die Ewigkeit des Vorganges aber (oder zeitlich ausgedrückt: die ewige Wiederholung des Vorgangs) macht es trotzdem möglich, daß wir nicht nur dauernd im Paradiese bleiben könnten, sondern tatsächlich dort dauernd sind, gleichgültig ob wir es hier wissen oder nicht (H 46 = 94). Äußerungen wie diese sind bezeichnend für Kafkas urbildliche und durchaus ungeschichtliche Betrachtung der Dinge, für ein metaphysisches Weltbild ohne Entwicklung, Fortschritt und Endzweck, wie es in den Bildern des amerikanischen Lebens bereits zum Vorschein gekommen war. Der alte jüdische Mythos vom Sündenfall war für Kafka das Urgleichnis einer paradoxen Grundsituation der Menschheit, das Spiegelbild ihrer ewigen unschuldigschuldigen Existenz. Die Episoden des „Verschollenen" sind daher in erster Linie abgewandelte Erscheinungsbilder desselben ideellen Grundgeschehens – des Mythos –, dessen überzeitlicher, metaphysischer Charakter erst vermittels *ewiger Wiederholung* offenbar wird. Wie sehr Wiederholung als kompositorisches Prinzip hier zu wirken vermag, das hat sowohl die trilogische Zusammenordnung der Erzählungen von den »Söhnen«, wie auch die eigentümlich periodische, auf dem Verhältnis von Thema und variierter Durchführung beruhende Bauform des Amerika-Romans gezeigt. Gesehen als poetische Übertragung einer außerzeitlichen (metaphysischen) Gegebenheit in die erzählbare Kategorie des zeitlich-Realen, erhält jenes Prinzip seine für Kafkas Zeitauffassung gleichnishafte Bedeutung. Diese geschichtslose Zeitauffassung zeigt sich auch zugleich in der einzigartigen und faszinierenden Verbindung des archaischen Mythos mit dem Bilde des *allermodernsten Amerikas*.

Die Möglichkeit eines *Lebens im Paradiese*, wie sie Kafka scharfsinnig aus der metaphysischen Nichtigkeit der Zeit ableitet, bleibt allerdings rein theoretisch. Ein Leben im Paradies, von dem wir nichts wissen, hat der Dichter vielleicht hier und da angedeutet — etwa als glückliche Kindheit in der Vorgeschichte des »Verschollenen« — aber nirgendwo eigentlich gestaltet. Wenn das *große Theater von Oklahoma* am Ende paradiesische Vorstellungen heraufbeschwört, so eben doch nur als Utopie, wie es der ironische, jede Illusion verhindernde Erzählstil dort beweist.

So ist denn *die Vertreibung aus dem Paradies endgültig, das Leben in der Welt unausweichlich.* Dies gilt für Josef K. und K., den Landvermesser nicht weniger als für den *schuldlosen* Karl Roßmann, so sehr auch die Bauform jener späteren Romane von der des »Verschollenen« abweicht. Im »Prozeß« wie im »Schloß« nämlich erscheint die *Vertreibung* nicht als zeitlicher Vorgang, sondern als Zustand des Vertrieben s e i n s, der, zu Beginn der Erzählung bereits eingetreten, bis zum Schluß ohne wesentliche Veränderung erhalten bleibt. Was hier tatsächlich erzählt wird, ist ein bloß innerer Vorgang, ist das von Situation zu Situation deutlicher werdende Bewußtsein des bereits Geschehenen und seiner Endgültigkeit. So fehlt der prägnante äußere Bewegungsablauf des Mythos, wie er für »Die Söhne« charakteristisch war; es fehlt damit die zeitliche Konzentration und Spannung, die strenge Funktionalität des Phasenablaufs, der unerbittlich auf das Ende zusteuernde kausale Fortschritt, das heißt alles, was wir im Sinne des allgemeinen Gattungsbegriffs „dramatisch" nennen dürfen. Vielmehr trägt die Statik der nach innen gerichteten, ausgebreiteten Zustandsanalysen klar epischen Charakter, eine Tatsache, die sich auch in der noch andauernden Diskussion um die ursprüngliche Reihenfolge der einzelnen Teile des Prozeß-Romans ausdrückt.

Besitzen wir also in den »Söhnen« und »Amerika« eine vollständige Darstellung des Mythos in den Phasen: Geborgenheit / Schuld / Strafe, so wird in den beiden späteren Romanen jeweils nur die dort verewigte End- und Straf-Phase als Vertriebens e i n sichtbar. Jene durch den Urteilsspruch des Vaters bewirkte mythische Peripetie (dieVerurteilung zum Tode), deren wiederholte Darstellung in den »Söhnen« so charakteristisch war, ist zu Beginn des »Prozesses« bereits eingetreten; im »Schloß« scheint sie einer kaum noch erinnerlichen Vorvergangenheit anzugehören. Zwar liegt also der Mythos (und damit die Person des Vaters) dort außerhalb, gewissermaßen v o r der eigentlichen Erzählung; gerade deshalb aber bildet er die unausgesprochene, gleichsam geschichtliche Voraussetzung auch für das Schicksal der beiden K.s, das in seiner letzten Konsequenz mit jenem der »Söhne« − einschließlich des *Verschollenen* − identisch sein muß.

Das nur latente Dasein des Mythos in den späteren Romanen scheint vor allem auch dadurch bedingt, daß die S ü n d e als moralisch-menschliche Schuld der erwachsenen K.-Helden dort immer schon vorausgesetzt wird. Josef K. z. B. ging, so heißt es gegen Anfang des Prozeß-Romans, *einmal in der Woche zu einem Mädchen namens Elsa, die während der Nacht bis in den späten Morgen als Kellnerin in einer Weinstube bediente und während des Tages nur vom Bett aus Besuche empfing* (P 27 f), wie es denn auch sonst in beiden Romanen die K.s an zweifelhaften Liaisons nicht fehlen lassen. Im »Prozeß« verrät sich der geheime Zusammenhang mit dem Mythos außerdem durch das Erscheinen des von den »Söhnen« her bekannten Fruchtsymbols. Die einzige Speise, die Josef K. am Morgen seiner Verhaftung genießt, ist ein Apfel: *Er warf sich auf sein Bett und nahm vom Waschtisch einen schönen Apfel, den er sich gestern abend für das Frühstück vorbereitet hatte. Jetzt war er sein einziges Frühstück . . . , wie er sich beim ersten großen Bissen versicherte* (P 17)[99].

Daß *die Vertreibung aus dem Paradies endgültig, das Leben in der Welt unausweichlich* ist, bildet in parabolischer Verkürzung zugleich die wesentliche Aussage der Türhüter-Legende. Sie verbildlicht das Ausgesperrtsein des Menschen von der Gnade, schildert also − wie auch der ganze Roman − keinen Vorgang, sondern einen statisch ewigen, durch den Tod nur besiegelten Zustand allgemeiner menschlicher Existenz: außerhalb des Gesetzes leben bedeutet Schuld. Wer aber schuldig ist, dem bleibt das weit offenstehende *Gesetz* eben darum verschlossen. Daß die im Grunde gleiche mythische Ursituation auch das Thema des spät entstandenen Schloß-Romans bestimmt, liegt daher nahe.

---

[99] vgl. Politzer, S. 115.

So lassen sich denn ohne Gewaltsamkeit sowohl die Trilogie »Söhne«, wie auch die drei großen Romanfragmente als poetische Verbildlichungen einer persönlichen Glaubenserfahrung Kafkas verstehen, in deren Mittelpunkt das Bewußtsein einer universalen metaphysischen Schuld mit der Unausweichlichkeit einer ebensolchen Strafe zusammentrifft. Diese, Kafkas Grunderfahrung hat sich, wie ich zu zeigen versuchte, in den »Söhnen«, besonders aber im »Verschollenen« zum Mythos-Gleichnis verdichtet, das dort sowohl als Träger der Aussage wie der Komposition beherrschend waltet. Diese Erkenntnis wird schließlich auch der Interpretation der späteren Fragmente »Der Prozeß« und »Das Schloß« zugute kommen, die — wie hier nur angedeutet werden konnte — als Weitergestaltungen des gemeinsamen Mythos betrachtet werden können. So wäre denn dieser Mythos die zugleich *offenbare* und *geheime Verbindung* b e i d e r Trilogien (der Erzählungen und der Romane), eine Verbindung, zu der die symbolische Identität der Helden mit der Person des Dichters noch hinzutritt. Es bleibt zu wünschen, daß besonders dieser Gesichtspunkt zum besseren Verständnis Kafkas, seines Werkes und Weltbilds beitragen möge.

ANHANG (Materialien)

69. DICKENS

Sein frühes Interesse an Dickens hat Kafka in zwei Vermerken aus dem Jahre 1911 selbst bezeugt, knapp ein Jahr also, bevor sich in Briefen erste Hinweise auf eine Arbeit am »Verschollenen« finden lassen (vgl. 72)[100]. Eine nächste Dickens-Notiz erscheint erst wieder am 8. Oktober 1917, zu einer Zeit, da an eine Fortsetzung des liegengebliebenen Romanfragments nicht mehr zu denken war:

Dickens ›Copperfield‹ (›Der Heizer‹ glatte Dickensnachahmung, noch mehr der geplante Roman). Koffergeschichte, der Beglückende und Bezaubernde, die niedrigen Arbeiten, die Geliebte auf dem Landgut, die schmutzigen Häuser u. a., vor allem aber die Methode. Meine Absicht war, wie ich jetzt sehe, einen Dickens-Roman zu schreiben, nur bereichert um die schärferen Lichter, die ich der Zeit entnommen, und die mattern, die ich aus mir selbst aufgesteckt hätte . . . (T 535 f.).

Abgesehen von gewissen Motivähnlichkeiten, wie sie Kafka selbst aufzählt, liegt eine Verwandtschaft der beiden Werke schon in der „Methode" (vgl. 61, Anm. 84) und im Grundthema.

In der kleinen Familie Davids hat der Stiefvater, Herr Murdstone, die absolute Herrschaft. Hinter der Maske der Charakterfestigkeit verbirgt er grenzenlose Herzenskälte und erreicht, daß sich seine Gattin, Davids leibliche Mutter, ihm gänzlich unterwirft. Murdstone schickt David, um ihn von der geliebten Mutter zu trennen, zunächst in das elende Erziehungsinstitut „Salem House". Nach dem Tode der Mutter muß David, trotz der guten Position des Vaters, in London ganz allein schwere manuelle Arbeit verrichten. Mit einer verzweifelten Flucht findet diese erste und schlimme Hälfte der Kindheit Davids ihren Abschluß. Bezeichnend für diesen Teil des »David Copperfield«, aber auch für lange Partien in »Oliver Twist«, ist der schmerzliche Kontrast zwischen der Hilflosigkeit des kindlichen Helden

---

[100] Es sind die Notizen vom 20. 8. und 4. 10. 1911 (T 60 und 77).

und der fast zynischen Härte und Gemeinheit seiner Umwelt. Dieses Mißverhältnis wird im »Verschollenen« noch gesteigert und bleibt dort bis zum
Schluß als tragische Grundsituation erhalten.

Das Internat „Salem House" mit seinen höchst anfechtbaren Erziehungs-
praktiken ist ein für Davids Schicksal sehr bedeutsamer Schauplatz. Herr
Creakle, der Direktor, herrscht mit unbarmherziger Strenge über seine
bedauernswerten Zöglinge. Davids erste Begegnung mit ihm spielt sich folgendermaßen ab[101]: „‚Kennst du mich, heh?‘, sagte Herr Creakle und drehte,
grausam verspielt, an meinem Ohr. ‚Noch nicht, Sir‘, sagte ich und zuckte
zurück vor Schmerz. ‚Noch nicht, heh?‘, wiederholte Herr Creakle, ‚aber
bald, heh?‘ . . . Ich hatte die ganze Zeit das Gefühl, mein Ohr sei in Brand
geraten, so hart kniff er zu. ‚Ich will dir ’mal sagen, was ich bin‘, flüsterte
Herr Creakle, indem er mich plötzlich mit einer Schlußdrehung losließ.
die mir das Wasser in die Augen trieb: ‚Ich bin ein Tartar‘"[102]. Von dieser
Szene scheint manches in das Kapitel »Der Fall Robinson« im »Verschollenen« übergegangen zu sein. Karl Roßmann wird dort vom Oberportier
des Hotels, einem Mann mit glänzendem schwarzen Schnurrbart, *so wie ihn
Ungarn tragen* (A 192), nicht viel anders behandelt als David von dem „Tar-
taren" Creakle. *Er hielt Karl oben am Arm fest, aber nicht etwa mit ruhi-
gem Griff, der schließlich auszuhalten gewesen wäre, sondern er lockerte
hie und da den Griff und machte ihn dann mit Steigerung fester und fester
. . . wobei er immer wieder halb fragend zum Oberkellner sagte: „Ob ich ihn
jetzt nur nicht verwechsle, ob ich ihn jetzt nur nicht verwechsle"* (A 205).
*Der Oberportier ließ ihn tatsächlich los, drückte aber vorher noch einmal so
stark, daß ihm selbst vor Anstrengung die Tränen in die Augen traten* (A 207).
Kafka steigert also das letzte Bild durch eine einfache Umkehrung ins
Paradoxe, indem er die Träne nicht dem Opfer, sondern dem Peiniger zu-
spricht. Überhaupt ist das Verhältnis der „Salem House"-Zöglinge zu Direktor Creakle in ähnlicher Weise sklavisch wie das der Liftjungen zu ihrem
Prinzipal, dem Oberkellner. Das elendeste unter Creakles Opfern ist der gute
und schwächliche T r a d d l e s, zu dem David später eine freundschaftliche
Zuneigung faßt und den er nach vielen Jahren bei einem Diner in wohl-
situierter Gesellschaft wiedertrifft. Traddles ist für David, was im »Verschollenen« G i a c o m o für Karl bedeutet. Giacomo ist der Benjamin unter
den Liftjungen und den harten Anforderungen des Hoteldienstes nicht ge-

---

[101] Kafka las Dickens vermutlich in Übersetzungen. – Die hier erscheinenden Zitate
aus Dickens habe ich selbst verdeutscht.
[102] Copperfield VI, S. 83.

wachsen. Karl trifft ihn später wieder, und zwar an der Speisetafel der Werbetruppe des großen Theaters (A 328). Beide treten gemeinsam die Reise nach Oklahoma an, denn auch Giacomo ist aufgenommen worden. Die Entschädigung für ihre Leiden, die den beiden dort scheinbar bevorsteht, wird dem Dickensischen Freundespaar David-Traddles tatsächlich zuteil.

Unter den Zöglingen von „Salem House' besitzt ein gewisser Steerforth eine privilegierte Stellung. Er ist älter als seine Kameraden, selbstsicher, elegant und, infolge besonderer Beziehungen zur Tochter Creakles, von dessen Tyrannei kaum abhängig. „Ich hörte, daß Fräulein Creakle, nach Meinung der ganzen Schule, in Steerforth verliebt war, und sicherlich, zumal wenn ich im Dunkeln saß und an seine hübsche Stimme, sein feines Gesicht, sein lässiges Betragen und an sein gewelltes Haar dachte, kam mir das sehr wahrscheinlich vor"[103]. Die Jungen, unter ihnen David, leisten Steerforth allerlei Dienste, die dieser huldvoll, aber ohne sich zu verpflichten, entgegennimmt. Nach Jahren wird Steerforth zum Verräter an David. Von ihm läßt sich eine Verbindung zur Figur des Liftjungen Renell leicht herstellen. Dieser eitle Junge mit den dunklen Augen versieht seinen Dienst am Aufzug nur lässig und steht praktisch außerhalb der Gemeinschaft seiner Kameraden. *Er hatte einen eleganten Privatanzug, in dem er an dienstfreien Abenden leicht parfümiert in die Stadt eilte; hie und da bat er auch Karl, ihn abends zu vertreten ... Trotzdem konnte ihn Karl gut leiden und hatte es gern, wenn Renell an solchen Abenden vor dem Ausgehen in seinem Privatanzug unten beim Lift vor ihm stehenblieb, sich noch ein wenig entschuldigte, während er die Handschuhe über die Finger zog* (A 163). Von Renell geht das Gerücht, *daß er von einer vornehmen Dame, die schon längere Zeit im Hotel wohnte, ... zumindest abgeküßt worden sei* (A 178). Auch Renell begeht schließlich an Karl, der ihn für seinen Freund hält, einen folgenschweren Verrat (vgl. 9).

In „Salem House" erhält David eines Tages die schlimmste Botschaft seines Lebens. Noch ahnungslos, wird er in das Zimmer des Direktors gerufen. „Ich eilte zum Empfangszimmer und fand dort Herrn Creakle beim Frühstück sitzend, seinen Stock und eine Zeitung vor sich"[104]. Ebenfalls anwesend ist die mütterliche Frau Creakle, sie soll David die Trauernachricht schonend mitteilen. „,David Copperfield', sagte Frau Creakle, führte mich zu einem Sofa und setzte sich an meine Seite, ,ich möchte einmal ausführlich mit dir reden. Ich muß dir etwas sagen, mein Kind'. Herr Creakle, zu dem ich natürlich hinsah, schüttelte den Kopf, ohne mich anzusehen, und erstickte

---

[103] ebda, S. 87.   [104] Copperfield IX, S. 122.

ein Seufzen durch ein sehr großes Stück Buttertoast"[105]. Diese Szene, in der David den Tod seiner Mutter erfährt, darf zum Beginn der Verhörszene in Kafkas Kapitel »Der Fall Robinson« in Parallele gesetzt werden. *Als Karl in das Büro des Oberkellners eintrat, saß dieser gerade bei seinem Morgenkaffee* (A 192)[106]. Bis in Einzelheiten, wie Gleichgültigkeit gegenüber Karl, gieriges Frühstücken und Zeitungslektüre ähnelt das Verhalten des Oberkellners demjenigen Creakles. Auch die Stellung der Frau Creakle zu ihrem Gatten entspricht in dieser Szene der der Oberköchin zum Oberkellner.

In seiner »Copperfield«-Notiz aus dem Jahre 1917 vermerkt Kafka keine der bisher hier angegebenen Übereinstimmungen. Es ist daher anzunehmen, daß der Dichter damals nur einige Beispiele für seine *Nachahmung* festgehalten hat, wie sie ihm gerade in den Sinn kamen, nicht aber, daß er eine erschöpfende Aufzählung geben wollte. Dennoch scheint E. W. Tedlock jr., der einen Aufsatz über »Copperfield«-Motive im »Verschollenen« verfaßt hat, dies anzunehmen[107]. Es ist ein Mangel seiner Untersuchung, daß sie sich auf die von Kafka genannten Beispiele beschränkt. Tedlock berührt weder die schon in den Expositionen der beiden Romane gegebene thematische Verwandtschaft, noch untersucht er den Motivkreis „Salem House". Von einer weiteren wichtigen Motivgruppe, die Kafka mit dem Stichwort *die Geliebte auf dem Landgut* andeutet, erfaßt Tedlock nur einen Teilaspekt:

Im Landhaus des Herrn S p e n l o w bei London lernt David seine zukünftige Frau, Spenlows Tochter D o r a , kennen. Herr Spenlow ist Witwer und lebt mit Dora und einer Gouvernante allein. Es ist richtig, wenn Tedlock die Beziehung von Dora, der „Geliebten auf dem Landgut", zu Klara Pollunder in Kafkas »Landhaus bei New York« herstellt. Andere, von Tedlock nicht genannte Umstände bestätigen die Beziehung: Herr Spenlow hat David zum Besuch auf seinem Landgut eingeladen und versprochen, ihn dort mit seiner Tochter bekannt zu machen. Eines Abends nimmt er David von London aus in seinem Wagen mit. Das Haus ist von Bäumen und einem wunderschönen Garten umgeben, die Halle, in die David mit Herrn Spenlow tritt, ist hell erleuchtet. Kaum angekommen, wird David dem Mädchen, Dora Spenlow, vorgestellt und fühlt sich sogleich stark zu ihr hingezogen. Leider wird aber Davids Freude durch die Anwesenheit einer herrischen Gouvernante sehr beeinträchtigt[108]. Die visuelle Beziehung

---

[105] ebda, S. 123.   [106] ausführlicheres Zitat s. 28.
[107] E. W. Tedlock, Jr., Kafkas Imitation of »David Copperfield«.
[108] Copperfield XXVI.

dieser Motive zum Beginn des »Landhaus«-Kapitels im »Verschollenen« ist kaum zu verkennen.

Indessen aber scheint noch ein anderer, nicht weniger bedeutsamer Motivkreis aus »David Copperfield« auf das »Landhaus bei New York« eingewirkt zu haben: es ist das Haus des Herrn Wickfield in Canterbury. Auch dort findet unter ähnlichen Umständen eine für David entscheidende Begegnung statt. Es gilt dabei die Parallelität der Motive zu beachten, die schon innerhalb der Geschichte Copperfields besteht: Wie Herr Spenlow, so ist auch Herr Wickfield Witwer, wie jener lebt auch er mit seiner Tochter, seinem einzigen Kinde, zusammen. Diese Tochter, Agnes Wickfield, wird zunächst Davids schwesterliche Freundin und, in fernerer Zukunft, seine zweite Gattin. Ganz offenbar sind beide Familien in Kafkas Phantasie zu einem einzigen Motivkreis zusammengewachsen, der dann auf das »Landhaus«-Kapitel im »Verschollenen« eingewirkt hat. Tedlock erwähnt von der letzteren Gruppe, den Canterbury-Motiven, nichts, obwohl sie für Dickens wie für Kafka von weitreichender Bedeutung sind. Mehrmals erzählt Dickens vom Alter des Canterbury-Hauses, das in seiner verwinkelten Bauweise auf David romantisch und ein wenig gespenstisch wirkt. Hier liegt sicherlich die Wurzel für die merkwürdige und ganz unamerikanische Romantik des Landhauses bei New York mit seinen leuchtertragenden Dienern in den sonst dunklen Gängen. Klara Pollunder erklärt Karl die Eigentümlichkeit des Hauses: *„Wir haben dieses Haus erst vor kurzem gekauft und es gänzlich umbauen lassen, soweit sich ein altes Haus mit seiner eigensinnigen Bauart überhaupt umbauen läßt."* „Da gibt es also auch schon in Amerika alte Häuser", sagte Karl (A 78).

Im Canterbury-Haus sind für David vor allem die breiten Balustraden auffallend: „So stiegen wir denn eine schöne alte Treppe hinauf, mit einem Geländer, so breit, daß wir auch auf ihm fast ebenso leicht hätten emporgehen können»[109]. Auch im Landhaus bei New York spielt das Geländer eine gewisse Rolle: *Plötzlich hörte die Wand an der einen Gangseite auf, und ein eiskaltes marmornes Geländer trat an ihre Stelle. Karl stellte die Kerze neben sich und beugte sich vorsichtig hinüber ... im Schimmer der Kerze erschien ein Stück einer gewölbeartig geführten Decke ... Man stand ja hier oben wie auf der Galerie einer Kirche* (A 86). Im Canterbury-Haus hat David Copperfield eine ganz ähnliche Assoziation: „es war ein ehrwürdiges altes Gemach, mit mehreren eichenen Deckenbalken und rautenförmigen Fensterscheiben und mit dem breiten Geländer, das ganz bis hinauf führte. Ich

---

[109] Copperfield XV, S. 222.

kann mich nicht erinnern, wo oder wann ich als Kind ein buntes Glasfenster in einer Kirche gesehen hatte, und weiß auch nicht mehr, was es darstellte. Aber wohl weiß ich, als ich sah, wie sie im schweren Licht des alten Treppenaufgangs sich umwandte und oben auf uns wartete, daß ich an jenes Fenster dachte; und etwas von seinem stillen Glanz verband sich seitdem in mir sets mit Agnes Wickfield"[110].

Indessen gehen die Beziehungen zum »Verschollenen« über das Visuelle noch hinaus. Ohne Übertreibung kann Wickfield als ein dichterisches Vorbild Pollunders angesehen werden. Er ist von weicher und nachgebender Gemütsart, ein im Grunde gütiger, aber schwacher Charakter. Durch seine Schwäche wie durch seine unglückliche Neigung zum Trunk hat er alle geschäftliche Selbständigkeit eingebüßt und gerät immer mehr in eine sklavische Abhängigkeit von seinem unredlichen Kompagnon, der seinen Einfluß auch auf Wickfields Tochter Agnes auszudehnen sucht und um ihre Hand anhält. Schließlich ist Wickfield nicht einmal mehr der Eigentümer seines Hauses. Pollunders Ähnlichkeit mit Wickfield liegt nicht nur im Charakter, sondern folgerichtig auch in der Situation. Pollunder ist nur der scheinbare, sein zukünftiger Schwiegersohn Mack aber der wirkliche Herr im Hause, der das ganze Haus nach seinem eigenen Geschmack umbauen läßt (A 105). Klara Pollunder führt ihrem Vater den Haushalt, was für amerikanische Verhältnisse sicherlich nicht typisch ist. Hin und wieder lobt Herr Green *Fräulein Klaras Kunst in der Führung des Hauswesens, was ihr sichtlich schmeichelte* (A 73).

Auch Agnes, Wickfields Tochter, führt ihrem Vater ganz allein den Haushalt. Dieser nennt sie ausdrücklich seine „kleine Haushälterin"[111]. Agnes ist ebensoalt wie David, aber reifer und ihm geistig überlegen, so daß er ihr lange Zeit nicht anders als in kindlicher Freundschaft begegnet. In ganz ähnlicher Weise spürt Karl Roßmann die Überlegenheit Klaras, die sich später allerdings mehr ins Physische wendet.

70. Hamsun

Kafka erwähnt in seiner Dickens-Notiz von 1917 einen *Beglückenden und Bezaubernden* (T 536), womit er nur David Copperfields ungetreuen Freund Steerforth gemeint haben kann. Wie Tedlock bemerkt, ist manches an Steerforth auf die Playboy-Figur Mack im „Verschollenen" über-

---

[110] ebda, S. 223.   [111] ebda, S. 222 f.

gegangen, den jungen und reichen Bekannten Karl Roßmanns, der ihm zunächst in der Umgebung des Onkels, dann aber auch im »Landhaus« als Klara Pollunders Geliebter begegnet[112]. – Allein der Name *Mack* deutet zugleich auf einen anderen, von Kafka sehr geschätzten Dichter: Knut Hamsun. Ein wohlhabender Kaufmann namens Mack ist neben dem Titelhelden die wichtigste Figur in Hamsuns Roman »Benoni«, dessen 1909 erschienene deutsche Erstausgabe sich in Kafkas Hausbibliothek befunden hat[113]. Hamsuns Mack, ein nicht mehr junger, aber jugendlich wirkender Lebemann, ist Herr auf Sirilund, einer entlegenen Lofotensiedlung. Er besitzt dort ein stattliches Anwesen nebst Speichern und Landeplatz, verfügt über die privaten Belange seiner Angestellten, als seien es Leibeigene, und versteht es, trotz – oder womöglich w e g e n seiner unmoralischen Beziehungen zum weiblichen Hauspersonal, sich überall in Respekt und Ansehen zu erhalten. Diese Gestalt, von Hamsun höchst lebendig und mit makabrem Humor dargestellt, muß Kafka geradezu fasziniert haben. In »Benoni« wie im »Verschollenen« ist Mack die diskret aus dem Hintergrund wirkende, außermoralische Macht, die sich rational nie völlig fassen läßt. – Ein beziehungsreiches Bild, Macks allerheiligstes Schlafzimmer, scheint Kafka in den »Verschollenen« transponiert zu haben. Bei Hamsun erscheint es nur angedeutet und in indirekter Beschreibung:

„Aber Sie haben Macks Bett vielleicht noch nicht gesehen, in dem er sie fängt ... Ich war einmal auf seinem Zimmer und habe das Türschloß geschmiert. Und da steht das Bett. Es hat rotseidene Decken und auf jedem Pfosten einen silbernen Engel"[114]. Im »Verschollenen« erscheint das Bett ganz unvermittelt und in szenischer Direktheit. Die Farbe Blau ist bestimmend: *Er sah dort Mack in einem großen Himmelbett halb liegend sitzen ... Der Baldachin aus blauer Seide ... leuchtete ... mit seiner leicht gewellten, nicht ganz festgespannten Seide ... Klara lehnte sich an den Bettpfosten und hatte nur noch Augen für Mack* (A 104 f.)[115].

71. HOLITSCHER

In den Jahren 1911 und 1912 veröffentlichte »Die neue Rundschau« in mehreren Fortsetzungen große Teile eines Amerika-Berichts von Arthur

---

[112] E. W. Tedlock, Jr., Kafkas Imitation of »David Copperfield«.
[113] Nach Wagenbach, F. K., e. Biographie s. Jugend, S. 257.
[114] Hamsun, Benoni, S. 149.   [115] ausführlicheres Zitat s. 21.

Holitscher. Wie Max Brod mitteilt, hat Kafka selbst auf einen solchen Bericht hingewiesen und gelegentlich auch daraus vorgelesen (Br 519)[116]. Tatsächlich verdankt Kafka jenen Reportagen ganz bedeutende Anregungen, so auch den folgenden Sätzen, die einer Schilderung Chikagos entnommen sind:

„Um neun Uhr früh werde ich, wie ich auf die Straße trete in einen Wirbelsturm von Menschen hineingetrieben, daß mir Hören und Sehen vergeht. Die zappelnden Bewegungen, die die Menschen in Kinematographenaufnahmen bekommen, das Dahinfegen der Filmautomobile sehe ich hier in Natur übertragen"[117]. Das Chikago Holitschers erinnert an ähnliche Beschreibungen Kafkas, an den *immer drängenden Verkehr*, die *verzerrten menschlichen Figuren* (A 49) oder an Karls Autofahrt durch New York, wo *über Trottoir und Fahrbahn ... wie in einem Wirbelwind der Lärm jagte* (A 64). – Gerade wenn von Chikago die Rede ist, wird die Skepsis, mit der der Sozialist Holitscher die Wirtschafts- und Sozialverhältnisse Nordamerikas beurteilt, besonders deutlich. „Die Spezialisierung der Arbeit, durch die Massenproduktion hervorgerufen, bringt den Arbeiter immer mehr auf das Niveau des leblosen Maschinenbestandteils, des präzis und automatisch funktionierenden Stahlhebels oder Rades herab"[118]. Für solche Mechanisierung bringt Kafka im »Verschollenen« etliche Beispiele, wie etwa den *Saal der Telephone* (A 58), Karls monotonen Liftdienst (A 162) oder die Tätigkeit der Informationsbeamten, die ihre Köpfe wie heißgelaufene Maschinenteile in Wasser kühlen (A 223). (Vgl. 58). – Bis zur Bitterkeit wächst Holitschers Skepsis am Problem der „Tramps": „Der arme jüdische Arbeiter, der schon entnervt, geschlagen vor der Schlacht, von den heimatlichen Pogroms anämisch geworden, ins Land der Freiheit und der siegreichen Energie kommt, hält selbstverständlich dem Speed nicht lange stand. Er hat die Wahl zwischen Selbstmord, Erschöpfungstod, Wahnsinn und Verbrechen. Er wählt die Landstreicherei. Sans Adieu verläßt er, zumeist in einem Alter von 37– 40 Jahren, Weib und Kinder, wird ein ‚Bum' und verschwindet im Westen oder im Süden"[119]. Ein solches Schicksal hat im »Verschollenen« Thereses Vater erfahren: *... ihr Vater war Baupolier und hatte die Mutter und das Kind aus Pommern sich nachkommen lassen; aber als hätte er damit seine Pflicht erfüllt, ... war er bald nach ihrer Ankunft ohne viel Erklärungen nach Kanada ausgewandert, und die Zurückgebliebenen hatten weder einen Brief noch eine sonstige Nachricht von ihm erhalten, was zum Teil auch*

---

[116] vgl. die Notiz vom 31. 10. 1911 (T 130).   [117] Holitscher, N. Rdsch. 1912, S. 1098.
[118] ebda, S. 1113.   [119] ebda, S. 1110.

nicht zu verwundern war, denn sie waren in den Massenquartieren des New Yorker Ostens unauffindbar verloren (A 170). Das Elend der Massenquartiere hat Kafka sehr beeindruckt, denn noch an einer anderen Stelle ist davon die Rede: *Karl dachte an die östlichen New Yorker Quartiere, die ihm der Onkel zu zeigen versprochen hatte, wo angeblich in einem kleinen Zimmer mehrere Familien wohnten und das Heim einer Familie in einem Zimmerwinkel bestand, in dem sich die Kinder um ihre Eltern scharten* (A 85). Dies wiederum scheint zu folgender Beobachtung Holitschers in Beziehung zu stehen: „Wer von der hoffnungslosesten Erniedrigung der menschlichen Kreatur ein Bild gewinnen will, mag in die Volkshotels in Kansas City, in South Clark Street in Chikago, ja, in die vielgerühmten Mills-Hotels auf der Neuyorker Ostseite gehn, mag um 1 Uhr nachts die ‚breadline‘, die Brotlinie vor den Toren . . . sich formen sehen . . . Arbeitslose, Hungernde, Bescheidene, Bettler, in der Nacht . . . Er mag sich auch in den Wohltätigkeitsämtern der großen Städte nach den ‚Hinterbliebenen‘ der Vagabunden erkundigen, die sich mit ihrem letzten Wochenlohn in der Tasche auf Nimmerwiedersehen nach dem lockenden, wilden Westen aufgemacht haben!"[120].

Das zweite Kapitel des »Verschollenen« enthält eine kleine Szene, in der Karl dem Onkel ein auswendig gelerntes Gedicht vorträgt. Es ist *Das erste amerikanische Gedicht, die Darstellung einer Feuersbrunst . . . der Onkel . . . schlug im Mitgefühl der Verse langsam und gleichmäßig in die Hände, während Karl aufrecht neben ihm stand und mit starren Augen das schwierige Gedicht sich entrang* (A 54). Hierfür hat offenbar Holitschers Besuch einer Schule in Chikago eine Anregung gegeben: „Auf Miß Kellogs Geheiß erhebt sich die Klasse und trägt unisono die Ballade vom ‚Brand von Chikago‘ vor. Gesten begleiten die Worte. Die Worte fallen einzeln und sauber artikuliert, wie Kristallkugeln von den reinen Kinderlippen . . . Hier wird den Kindern all der fernen, fremden Länder die Sprache des Landes, die mächtige englische Sprache beigebracht . . . Schön und sonor klingen die Verse vom ‚Brand von Chikago‘. Auf und nieder stürzt der Rhythmus der Strophen. Ein Crescendo: ‚Fire — F i r e — FIRE;‘ und auf hundert kleinen Gesichtern, die sich in die Höhe gewandt haben, brennt in kindlicher Erregung der Widerschein der flammenden Stadt"[121].

Die vielleicht abenteuerlichste unter Kafkas Romangestalten ist der Vagabund D e l a m a r c h e. Mehrmals wird seine Nationalität erwähnt, er ist

---

[120] ebda, S. 1115.
[121] ebda, S. 1115.

Franzose, zu seinen Attributen gehört ein *dolchartiges Messer* (A 123). Seine anrüchige Liaison mit Brunelda führt eine entscheidende Wendung herbei, und der ursprüngliche Plan, gemeinsam mit Robinson *nach Kalifornien in die Goldwäschereien zu gehen* (A 126 f.) wird fallengelassen. Vergegenwärtigt man sich diese Einzelheiten, so ist die Beziehung zu folgenden Beobachtungen Holitschers leicht herzustellen; sie entstanden während der Fahrt im Kolonistenwagen eines Eisenbahnzuges:

„Der Kerl ist tätowiert, vom Adamsapfel bis an den Nabel hinunter. Ich sehe eine blaue und rote Schlange unter der linken Achselhöhle auf die Brust hervorkommen. Auf dem linken Oberarm ist die französische Fahne, auf dem rechten ein fingerlanger Dolch, der nach oben steht mit der Spitze, tätowiert. Auf Brust und Bauch und um den Nabel herum das obszöne Bild eines nackten Frauenzimmers. Der Mensch hat auf seinem roten schrumpfigen Hals den pomadisierten Kopf eines Jahrmarkt-Ringkämpfers sitzen ... Nächsten Morgen gehe ich durch den ganzen Zug und sehe mir die Leute in jenem Kolonistenwagen an ... Die ganze Gesellschaft scheint unterwegs ausgestiegen zu sein. Es führt da, von North Bay, eine Seitenlinie nach Cobalt zu den neu entdeckten Goldminen in Porcupine, Nordontario, hinauf"[122].

Die weitaus interessantesten Anregungen aber, die Kafka von Holitscher empfing, sind jene, die auf die Idee des *großen Theaters von Oklahoma* gewirkt haben. *Karl sah an einer Straßenecke ein Plakat mit folgender Aufschrift: „Auf dem Rennplatz in Clayton wird heute von sechs Uhr früh bis Mitternacht Personal für das Theater in Oklahoma aufgenommen!"* – so lauten die ersten Worte des Schlußkapitels. Weiter heißt es: *Es standen zwar viele Leute vor dem Plakat, aber es schien nicht viel Beifall zu finden ... Mochte alles Großsprecherische, das auf dem Plakate stand, eine Lüge sein ... es wollte Leute aufnehmen, das war genügend* (A 305 f.). Holitscher nun berichtet folgendes aus Kanada: „An den Straßenecken kleben riesige Plakate mit Aufschriften, die wie Kanonenschüsse, aber auch wie Notsignale klingen! ,50 000 Farmarbeiter sofort nach dem Westen!' / ,30 000 Ernteleute für Manitoba verlangt!' / ,Die unerhörteste Ernte, seit Kanada/Weizen baut! (Ich weiß nicht mehr/wieviel). ... hundert Millionen/Bushels warten auf den Schnitter!' / Eine gesunde Prahlerei, die anzeigt, daß das Land Menschen braucht. Aber die Menschensorte von der ich sprach, zieht es vor, jahraus jahrein in ungesunden Fabrikhallen sich krummzuschwitzen bei

---

[122] ebda, S. 363.

der Fabrikation eines und desselben Maschinenbestandteils und läuft an den grellen und verheißungsvollen Plakaten blind und taub vorüber"[123]. In einem anderen Zusammenhang schreibt Holitscher über etwas wie ein riesiges Volkshochschulzentrum namens Chautauqua, das er auf seiner Reise durch den Staat New York besichtigt hat. „Chautauqua ist eine große Sommerschule, hat man mir gesagt, eine Art Kurort, in dem man also kein heilendes Wasser trinkt, sondern Vorträge anhört"[124]. Merkwürdig sind einzelne Eindrücke, die der Verfasser dort empfängt: „ . . . was da plötzlich vor mir liegt, ist ein ungeheures, von obenher aus unsichtbaren Lichtquellen beleuchtetes Tal von Menschen, ein Krater von Menschen, eine Arena, das Dach ruht auf hohen Säulen, aber sonst ist der Raum von allen Seiten offen, tief in einen Berg eingegraben, und in dieser Arena, diesem Amphitheater sitzen Menschen in hellen Sommerkleidern, Tausende und Tausende – mir schien's Zehntausende, ohne einen Laut, ohne die geringste Regung, stumm in Andacht. Auf dem Podium, das halb in das Amphitheater hineingebaut ist, sitzen vorne an der Rampe ein paar Männer und Frauen in dunklen Kleidern. Hinter ihnen hängt eine große Flagge, das Sternenbanner, von einer Art Kulisse herunter, und hinter dieser Kulisse ist die Orgel, eine Orgel von Dimensionen, die dem ungeheuren Raum entsprechen; rechts und links auf dem Podium aufsteigend, Chöre, Männer und Frauen, hell und weiß, nur die paar Menschen vorn auf dem Podium sind schwarz angezogen"[125]. Das Unwirkliche und Phantastische dieser Schilderung hat deutliche Spuren in Kafkas Schlußkapitel hinterlassen: Als sich Karl Roßmann dem Rennplatz in Clayton nähert, ist er erstaunt über die Größe des Unternehmens. *Vor dem Eingang zum Rennplatz war ein langes, niedriges Podium aufgebaut, auf dem Hunderte von Frauen, als Engel gekleidet, in weißen Tüchern . . . auf langen, goldglänzenden Trompeten bliesen . . . jede stand auf einem Postament . . . Damit keine Einförmigkeit entstehe, hatte man Postamente in der verschiedensten Größe verwendet* (A 307). Selbst eine Einzelheit Holitschers, wie „die paar Menschen vorn auf dem Podium", taucht bei Kafka verwandelt wieder auf: *Klein, im Vergleich zu den großen Gestalten, gingen etwa zehn Burschen vor dem Podium hin und her* (A 307).

---

[123] ebda, S. 350. – Dieses Plakatmotiv und seine mögliche Einwirkung auf das Schlußkapitel des »Verschollenen« erwähnt Heuer, S. 116.

[124] Holitscher, N. Rdsch. 1911, S. 1583.

[125] ebda, S. 1584.

Für das Ganze ist wesentlich, daß in Holitschers Bericht die Vorstellungen A r e n a und T h e a t e r im gleichen Bilde vereinigt sind. Ähnlich hat Kafka gewisse Züge des imaginären *Theaters von Oklahoma* in der Schilderung des *Rennplatzes in Clayton* schon vorweggenommen.

Als Holitscher seine Reportagen im Jahre 1912 vollständig und in Buchform herausgab, wurden sie zu einem außerordentlichen Erfolg. Dieses Buch, »Amerika heute und morgen«, hat viele Auflagen erlebt, und ein Exemplar einer Auflage von 1913 befand sich in Kafkas privater Bibliothek[126]. Max Brod erwähnt die Buchveröffentlichung ebenfalls. Sie hat, so schreibt er, „möglicherweise an der Konzeption von Kafkas ›Amerika‹ mitgewirkt" (Br 519). Wie es scheint, ist besonders das Schlußkapitel durch solche Partien des Berichts befruchtet worden, die Kafka n u r in Buchform, das heißt seit Ende 1912, zugänglich sein konnten. Hierzu gehört die Reportage über einen Erholungspark im Stadtgebiet von Chikago. Holitscher wendet sich fragend an einen Einheimischen:

„‚Welche Formalitäten hat einer zu beobachten, eh' er hier hereingelassen wird? Welche Papiere, Pässe, Legitimationen, Steuerzettel, Taufscheine, Gewerbescheine muß er vorweisen, um hier hereingelassen zu werden?‘ ‚Why! Nothing at all!‘ erwidert unser Amerikaner erstaunt... ‚Jeder ist willkommen. Er mag welche Sprache immer sprechen. Er mag die elendsten, von Ungeziefer starrenden Lumpen auf seinem Körper tragen. Er mag daherkommen, von wannen er will. Er braucht kein Papier vorzuweisen, keinen Namen in ein Buch einzuschreiben, weder seinen richtigen, noch einen falschen. Jeder ist willkommen, wir leben in einem demokratischen Land dahier.‘ Dieses Wort; diese Phrase; in Chikago. – Und doch, was wir eben gesehen haben, dieser Blick ins Freie, Offene, Ferne, fast versöhnt es mit der erschrecklichen Realität rings um diese Oase, mit Chikago, der furchtbarsten Stadt der heutigen Welt!"[127]. *Jeder ist willkommen!* – so lautet auch die Hauptphrase des *großen Theaters*, die im Schlußkapitel des »Verschollenen« mehrmals und mit Betonung wiederholt wird. Zwar läßt Kafka – ironischerweise und anders als Holitscher – die Bürokratie geschäftig walten, aber Karl Roßmann wird doch schließlich auch ohne Paß und ohne richtigen Namen eingelassen.

Chikago verlassend, fährt Holitscher mit der Eisenbahn nach Westen und

---

[126] Nach Wagenbach, S. 257. Es handelt sich offenbar um eine nachträgliche Anschaffung des schon 1912 erschienenen und von Kafka benützten Buches.
[127] Holitscher, Amerika, S. 326 f.

erblickt vom Zug aus das amerikanische Felsengebirge, die Rocky Mountains. „Die Rockies genieren sich ihrer Herkunft nicht; in aufrechten, offenen, fächerförmigen Mulden und Bergspalten zeigen sie, wie ihr Stein von Gletschern geknetet und durchgepflügt worden ist von Urzeiten an. Im Innern des Gebirges ist es blau und hellgrün von Gletschern. Oft werden sie frech und strecken ihre spitzen Hälse bis an die Bahntrasse hinunter"[128]. Ist es nicht eine sehr ähnliche Landschaft, die Karl Roßmann auf seiner Fahrt nach Oklahoma vom Abteilfenster aus bewundert? *Am ersten Tag fuhren sie durch ein hohes Gebirge. Bläulich-schwarze Steinmassen gingen in spitzen Keilen bis an den Zug heran, man beugte sich aus dem Fenster und suchte vergebens ihre Gipfel, dunkle, schmale, zerrissene Täler öffneten sich, man beschrieb mit dem Finger die Richtung, in der sie sich verloren, breite Bergströme kamen, als große Wellen auf dem hügeligen Untergrund eilend und in sich tausend kleine Schaumwellen treibend* (A 331).

Auch einige der photographischen Textabbildungen in Holitschers Buch haben Kafkas Amerika-Vision mitgeformt (vgl. 53). Eine Abbildung im Hochformat, auf Seite 49, trägt den Titel „Broadway im Geschäftsviertel" und ist offenbar vom oberen Stock eines Hochhauses aufgenommen. Das Photo gibt *den Überblick über eine Straße, die zwischen zwei Reihen förmlich abgehackter Häuser gerade, und darum wie fliehend, in die Ferne sich verlief, wo aus vielem Dunst die Formen einer Kathedrale ungeheuer sich erhoben* (A 49). Die Perspektive des Photos entspricht genau der Blickposition, die Karl Roßmann auf dem Balkon seines New Yorker Zimmers innehat; im Hintergrund erweckt ein schlankes, turmähnliches Riesenhochhaus im neugotischen Stil den Eindruck einer Kathedrale. – Eine andere Abbildung, im verkleinerten Panorama-Format, ist ebenfalls von einem hochgelegenen Punkt aus visiert. Sie scheint auf jene Beschreibung im »Verschollenen« eingewirkt zu haben, in der Karl Roßmann und seine Gefährten *beim Rückblick das Panorama New Yorks und seines Hafens immer ausgedehnter sich entwickeln sehen* (A 125). Jedenfalls kann man *die Brücke, die New York mit Brooklyn verbindet*, sowie das *glatte Wasserband* unter ihr deutlich erkennen[129].

---

[128] ebda, S. 218 f.

[129] ebda, S. 55. – Es ist eigenartig, daß Holitschers Bericht bisher kaum beachtet wurde. Heuer nennt nur ein einziges Motiv, Hermsdorf gar keines. Von Spilka, der eine „Genesis" des »Verschollenen« entwickelt, wird Holitscher nicht einmal erwähnt. – Zu zwei weiteren Motiven aus Holitscher s. 25, Anm. 1 und 53.

72. Eigene Aufzeichnungen Kafkas

Im August des Jahres 1911 unternahm Kafka in Begleitung Max Brods eine Auslandsreise, die mit ihren neuen und fremden Bildern seine Amerika-Phantasie angeregt zu haben scheint. So heißt es in einer Reisenotiz vom 26. oder 27. August 1911: *Die leeren, dunklen, hügeligen, waldigen Ufer des Zuger Sees in vielen Landzungen. Amerikanischer Anblick* (T 603). Zwei weitere Aufzeichnungen, die nur wenige Tage später in Paris entstanden, deuten unmittelbar auf den »Verschollenen«. Einmal beobachtet Kafka *Die Gäste in kalkbespritzten Hemden um die Tischchen der Vorstadt-Gasthäuser* (T 632). Hierzu lautet eine entsprechende Stelle im Kapitel »Weg nach Ramses«: *Während des Tages machten sie nur einmal in einem Wirtshaus halt ... Am Nebentisch saßen Arbeiter in kalkbespritzten Blusen ...* A 127 f.). Interessanter ist der Beginn einer zweiten Aufzeichnung, einer kurzen und äußerst prägnanten Charakterisierung der Pariser Untergrundbahn. Kafka knüpft dabei vergleichend an ein früheres Reiseerlebnis an: *Die Metro schien mir damals sehr leer, besonders wenn ich es mit jener Fahrt vergleiche, als ich krank und allein zum Rennen gefahren bin.* (T 642)[130]. Die Beziehung zum Beginn des Schlußkapitels ist hier ganz auffallend: Verlassen und stellungslos fährt Karl Roßmann in einer Untergrundbahn hinaus zum Rennplatz, um sich dort vom *großen Theater* anwerben zu lassen (A 306).

Die nächste auf den »Verschollenen« weisende Spur erscheint erst wieder am 2. Juni 1912. Das Tagebuch berichtet: *Gestern Vortrag ... im Repräsentationshaus über Amerika. (Die Tschechen in Nebraska, alle Beamten in Amerika werden gewählt, jeder muß einer der drei Parteien – republikanisch, demokratisch, sozialistisch – angehören, Wahlversammlung Roosevelts, der einen Farmer, welcher einen Einwand macht, mit seinem Glas bedroht, Straßenredner, die als Podium eine kleine Kiste mit sich tragen* (T 279). Offenbar besteht hier ein Zusammenhang mit der bedeutsamen Beschreibung eines Wahlkampfes im Kapitel »Ein Asyl«. Auch dort geht es turbulent, ja gefährlich zu, Straßenredner treten auf, und für die Wähler werden Gläser gefüllt.

Den ersten eindeutigen Hinweis auf das Romanprojekt enthält ein Brief an Max Brod vom 10. 7. 1912 (Br 96). Kafka schrieb ihn im *Naturheilsanatorium Jungborn*, wo er einen längeren Erholungsurlaub verbrachte.

---

[130] vgl. Brod, Franz Kafka, S. 133.

Ein ebenfalls dort entstandener Brief vom 17. 7. 1912 sowie eine Tagebuchnotiz vom Vortage verraten etwas über die schwer zu transportierende Ex-Opernsängerin Brunelda, mit der sich Kafkas Phantasie in jenen Tagen beschäftigt haben muß; im Brief gibt Kafka eine frivole These seines Kurdoktors zum besten: *Letzthin erklärte er, daß die Bauchatmung zum Wachsen und Reizen der Geschlechtsorgane beitrage, weshalb die auf Bauchatmung hauptsächlich beschränkten Opernsängerinnen so unanständig sind* (Br 99). Im Tagebuch ist von der Frau eines Friseurs die Rede, *die zu Hause das Geschäft führt und nicht verreisen kann, weil sie dick ist und das Fahren nicht verträgt* (T 676). – Über die allgemeine Bedeutung des „Jungborn"-Aufenthaltes für die Idee des Schlußkapitels habe ich an anderer Stelle gesprochen (s. 50).

In allerengster Beziehung zum werdenden Roman steht ein T r a u m , den Kafka am 11. 9. 1912 beschreibt, zu einem Zeitpunkt, da er an der Fortsetzung des »Heizers« arbeitete[131]. *Ich befand mich auf einer aus Quadern weit ins Meer hineingebauten Landzunge. . . . als ich mich einmal zufällig erhob, sah ich links von mir . . . das weite, klar umschriebene Meer, mit vielen reihenweise aufgestellten, fest verankerten Kriegsschiffen. Rechts sah man New York, wir waren im Hafen von New York. . . . Nun bemerkte ich auch, daß das Wasser neben uns hohe Wellen schlug und ein ungeheuer fremdländischer Verkehr sich auf ihm abwickelte. In Erinnerung ist mir nur, daß statt unserer Flöße lange Stämme zu einem riesigen runden Bündel zusammengeschnürt waren, das in der Fahrt immer wieder mit der Schnittfläche je nach der Höhe der Wellen mehr oder weniger auftauchte und dabei auch noch der Länge nach sich in dem Wasser wälzte* (T 288 f.). Das Traumgesicht ist in jener Hafenszenerie deutlich wiederzuerkennen, die der Dichter in einer Folge von zwei Bildern in den Ablauf der Heizergeschichte eingeschaltet hat. Wellenschlag, Kriegsschiffe, der lebhafte Verkehr und im Hintergrund das Stadtbild von New York treten im ersten Bild hervor (A 19). Vor allem aber enthält die zweite Bildphase eine charakteristische Einzelheit des Traumes: *Eigentümliche Schwimmkörper tauchten hie und da selbständig aus dem ruhelosen Wasser, wurden gleich wieder überschwemmt und versanken vor dem erstaunten Blick* (A 25).

---

[131] vgl. Brods Angaben, T 724 f.

LITERATURVERZEICHNIS

I. Werke Kafkas

Der Heizer. Ein Fragment. (Der jüngste Tag. Bd 3.) Leipzig: Kurt Wolff Verlag 1913.

Der Heizer. Ein Fragment. Zweite Auflage. (Der jüngste Tag. Bd 3.) Leipzig: Kurt Wolff Verlag 1916.

Amerika. Roman. München: Kurt Wolff Verlag 1927.

Amerika. Roman. Zweite Ausgabe. (Gesammelte Schriften. Bd 2. Hg. v. Max Brod in Gemeinschaft mit Heinz Politzer.) Berlin: Schocken 1935.

Amerika. Roman. Dritte Ausgabe. (Gesammelte Schriften. Bd 2. Hg v. Max Brod.) New York: Schocken 1946. – Photomechanischer Nachdruck der Ausgabe von 1935.

Gesammelte Werke. Hg v. Max Brod. Lizenzausgabe von Schocken Books, New York. Frankfurt a. M.: S. Fischer Verlag (1950–1958):

Der Prozess. Roman. [1950] – (Sigle: P)

Das Schloss. Roman. [1951] – (Sigle: S)

Tagebücher. 1910–1923. [1951] – (Sigle: T)

Briefe an Milena. Hg v. Willy Haas. 1952. – (Sigle: BrM)

Erzählungen. [1952] – (Sigle: E)

Amerika. Roman. 1953. – (Sigle: A)

Hochzeitsvorbereitungen auf dem Lande und andere Prosa aus dem Nachlaß. (1953) – (Sigle: H)

Beschreibung eines Kampfes. Novellen, Skizzen, Aphorismen. Aus dem Nachlaß. [1954] – (Sigle: B)

Briefe. 1902–1924. (1958) – (Sigle: Br).

Die Aeroplane in Brescia. In: Max Brod: Franz Kafka. Eine Biographie. Dritte erweiterte Auflage. Frankfurt a. M.: S. Fischer Verlag 1954, S. 315–326.

The Diaries of Franz Kafka. Hg v. Max Brod. Bd I: 1910–1913, übers. v. Joseph Kresh. Bd II: 1914–1923, übers. v. Martin Greenberg unter Mitwirkung v. Hannah Arendt. New York: Schocken Books 1948 f. (reichhaltiger als die deutsche Ausgabe.)

(s. ferner: Pasley, Franz Kafka MSS.)

II. Kafka-Literatur*

Baumer, Franz: Franz Kafka. (Köpfe des 20. Jahrhunderts. Bd 18.) Berlin: Colloquium Verl. Otto H. Hess (1960).

---

* Die Übersicht enthält nur solche Beiträge, die – mir selbst bekannt – den engeren Themenkreis dieser Studie berühren. Für umfassendere Information stehen u. a. die Bibliographien von Hemmerle (1958), Järv (1961) und Politzer (1965 in: Franz Kafka der Künstler, S. 512 ff.) zur Verfügung.

BEISSNER, Friedrich: Der Erzähler Franz Kafka. Ein Vortrag. Stuttgart: W. Kohlhammer 1952; ³1959.

– Kafka der Dichter. Ein Vortrag. Ebda 1958.

– Der Schacht von Babel. Aus Kafkas Tagebüchern. Ebda 1963.

BERGEL, Lienhard: Amerika. Its Meaning. In: Franz Kafka Today, hg. v. Angel Flores u. Homer Swander. Madison: Univ. of Wisconsin Press 1958, S. 117–125.

BEZZEL, Christoph: Natur bei Kafka. Studien zur Ästhetik des poetischen Zeichens. (Erlanger Beiträge zur Sprach- u. Kunstwissenschaft. Bd 15.) Nürnberg: Hans Carl 1964.

BORCHARDT, Alfred: Kafkas zweites Gesicht. Der Unbekannte. Das große Theater von Oklahoma. Nürnberg: Hans Carl 1960.

BROD, Max: Zu Franz Kafkas Roman »Amerika«. Die literarische Welt 3, 1927, Nr 44, S. 3.

– Franz Kafka. Eine Biographie. Dritte, erweiterte Auflage. Frankfurt a. M.: S. Fischer Verlag 1954.

– Amerika. Komödie in zwei Akten (16 Bildern), nach dem gleichnamigen Roman von Franz Kafka (Bühnenmanuskript). Ebda 1957.

– Verzweiflung und Erlösung im Werk Franz Kafkas. Ebda 1959.

CAMUS, Albert: Die Hoffnung und das Absurde im Werk von Franz Kafka. In: Der Mythos des Sisyphos. Ein Versuch über das Absurde. (rowohlts deutsche enzyklopädie. Bd 90.) Hamburg: Rowohlt 1959, S. 102–112. (Übersetzung.)

DENTAN, Michel: Humour et Création Litteraire dans l'Œvre de Kafka. Genf-Paris 1961.

DIETZ, Ludwig: Franz Kafka. Drucke zu seinen Lebzeiten. Eine textkritisch-bibliographische Studie. Jahrbuch der Deutschen Schillergesellschaft VII, 1963, S. 416–457.

EMRICH, Wilhelm: Franz Kafka. Frankfurt a. M.: Athenäum-Verlag 1956; 2. Aufl. 1960; 3., durchgesehene Aufl. 1964.

HEMMERLE, Rudolf: Franz Kafka. Eine Bibliographie. München: Verl. Rob. Lerche 1958.

HERMSDORF, Klaus: Kafka. Weltbild u. Roman. (In d. Reihe: Germanistische Studien.) Berlin: Rütten & Loening 1961. – Zweite Fassung der maschinenschriftl. Diss.: Franz Kafkas Romanfragment »Der Verschollene« (»Amerika«). Berlin, Humboldt-Universität 1959.

HEUER, HELMUT: Die Amerikavision bei William Blake und Franz Kafka. Diss. München 1959.

HILLMANN, Heinz: Franz Kafka. Dichtungstheorie u. Dichtungsgestalt. (Bonner Arbeiten zur deutschen Literatur. Bd 9.) Bonn: Bouvier & Co. 1964.

JACOBI, Walter: Kafkas Roman »Amerika« im Unterricht. Eine Untersuchung seiner Motive u. Symbole u. deren Bedeutung für Kafkas Gesamtwerk. Der Deutschunterricht 14, 1962, S. 63–78.

JÄRV, Harry: Die Kafka-Literatur. Eine Bibliographie. Malmö/Lund: Bo Cavefors Verlag 1961.

JAHN, Wolfgang: Stil und Weltbild in Kafkas Roman »Der Verschollene« (»Amerika«). Maschinenschriftl. Diss. Tübingen 1961.

– Kafka und die Anfänge des Kinos. Jahrbuch der Deutschen Schillergesellschaft VI, 1962, S. 353–368.

– Kafkas Handschrift zum »Verschollenen« (»Amerika«). Ein vorläufiger Textbericht. Jahrbuch der Deutschen Schillergesellschaft IX, 1965.

154

JANOUCH, Gustav: Gespräche mit Kafka. Frankfurt a. M.: S. Fischer Verlag 1951.

KLARMANN, Adolf D: Franz Kafkas »Der Heizer«. Nach einer stilistischen Studie. Wort in der Zeit 8, 1962, Folge 8, S. 35–39.

KUDZUS, Winfried: Erzählhaltung und Zeitverschiebung in Kafkas »Prozeß« und »Schloß«. DVjs. 38, 1964, S. 192–207.

LADENDORF, Heinz: Kafka und die Kunstgeschichte. Wallraf-Richartz-Jahrbuch I: 1961, S. 293–326; II: 1963, S. 227–262.

MARTINI, Fritz: Franz Kafka »Das Schloß«. In: F. M., Das Wagnis der Sprache, Interpretationen deutscher Prosa von Nietzsche bis Benn. Stuttgart: E. Klett 1954, S. 291–335; 4. Aufl. 1961.

– Ein Manuskript Franz Kafkas: »Der Dorfschullehrer«. Jahrbuch der Deutschen Schillergesellschaft II, 1958, S. 266–300.

MAYER, Hans: Kafka und kein Ende? Zur heutigen Lage der Kafka-Forschung. In: H. M., Ansichten zur Literatur der Zeit. (Rowohlt-Paperback. Bd 16.) Reinbek: Rowohlt 1962, S. 54–70.

MUSCHG, Walter: Der unbekannte Kafka. In: W. M., Von Trakl zu Brecht. München: R. Piper & Co. 1961, S. 149–173.

MUSIL, Robert: Literarische Chronik. Die neue Rundschau 1914, S. 1166–1172 (zu Kafkas »Heizer«).

PASLEY, J. M.(alcolm) S.: Franz Kafka MSS: Description and Select Inedita. The Modern Language Review 57, 1962, S. 53–59.

– Franz Kafka »Ein Besuch im Bergwerk«. German Life & Letters. New Series 18, 1964, S. 40–46.

– Two Kafka Enigmas: »Elf Söhne« and »Die Sorge des Hausvaters«. The Modern Language Review 59, 1964, S. 73–81.

PASLEY, Malcolm, und WAGENBACH, Klaus: Versuch einer Datierung sämtlicher Texte Franz Kafkas. DVjs. 38, 1964, S. 149–167.

POLITZER, Heinz: Franz Kafka der Künstler. Frankfurt a. M.: S. Fischer Verlag 1965. – Amerikanische Ausgabe: F. K., Parable and Paradox. Ithaca/N. Y.: Cornell Univ. Press 1962.

RICHTER, Helmut: Franz Kafka. Werk u. Entwurf. (Neue Beiträge zur Literaturwissenschaft Bd 14.) Berlin: Rütten & Loening 1962.

ROBERT, Marthe: Kafka. La Bibliothèque Ideale. Paris: Gallimard 1960.

SCHILLEMEIT, Jost: Welt im Werk Franz Kafkas. DVjs. 38, 1964, S. 168–191.

SEIFFERT, Hans Werner: Untersuchungen zur Methode der Herausgabe deutscher Texte. Deutsche Akademie der Wissenschaften zu Berlin. (Veröffentlichungen des Instituts für deutsche Sprache u. Literatur 28. Berlin: Akademie-Verlag 1963 (bes. S. 99 ff.).

SOKEL, Walter H.: Franz Kafka. Tragik u. Ironie. Zur Struktur seiner Kunst. München: Langen/Müller 1964.

SPILKA, Mark: Amerika: Its Genesis. In: Franz Kafka Today, hg. v. Angel Flores u. Homer Swander. Madison: Univ. of Wisconsin Press 1958, S. 95–116.

– Dickens and Kafka, a mutual interpretation. Bloomington/Ind./USA: Indiana Univ. Press 1963.

STEINBERG, Erwin R.: The Judgement in Kafka's »The Judgement«. Modern Fiction Studies 8, 1962, S. 23–30.

TEDLOCK, E. W., Jr.: Kafka's imitation of »David Copperfield«. Comparative Literature 7, 1955, S. 52–62.

TYLER, Parker: Kafka's and Chaplin's »Amerika«. Sewanee Review 1950, S. 299–311.

URZIDIL, Johannes: Edison und Kafka. Der Monat 13, 1961, Heft 153, S. 53–57. – Dasselbe in: J. U., Da geht Kafka. Zürich: Artemis-Verlag 1965, S. 14–24.

UYTTERSPROT, Herman: Eine neue Ordnung der Werke Kafkas? Zur Struktur von »Der Prozeß« u. »Amerika«. Antwerpen: Ontwikkeling 1957.

VASATA, Rudolf: »Amerika« and Charles Dickens. In: The Kafka Problem, hg. von Angel Flores. (New Directions.) New York: Grey Walls 1946, S. 134–139.

WAGENBACH, Klaus: Franz Kafka. Eine Biographie seiner Jugend. Bern: Francke Verlag 1958.

– Franz Kafka in Selbstzeugnissen und Dokumenten. Mit 70 Abb. (Rowohlts Monographien 91.) Reinbek: Rowohlt 1964.

WALSER, Martin: Beschreibung einer Form. Versuch über Franz Kafka. (In der Reihe: Literatur als Kunst.) München: C. Hanser Verlag 1961; 2. Aufl. 1963. – Dasselbe als maschinenschriftl. Diss., Tübingen 1951.

WEINBERG, Kurt: Kafkas Dichtungen. Die Travestion des Mythos. Bern: Francke Verlag 1963.

VON WIESE, Benno: Franz Kafka »Die Verwandlung«. In: B. v. W., Die deutsche Novelle von Goethe bis Kafka. Interpretationen II. Düsseldorf: A. Bagel 1962.

III. ANDERE LITERATUR

BALÁZS, Béla: Der sichtbare Mensch. Eine Film-Dramaturgie. Zweite Auflage. Halle: Wilhelm Knapp 1926.

BEISSNER, Friedrich: Unvorgreifliche Gedanken über den Sprachrhythmus. Festschrift Paul Kluckhohn und Hermann Schneider gewidmet. Tübingen: J. C. B. Mohr 1948, S. 472–444.

BERGSON, Henri: Le Rire. Essai sur la signification du comique. 123. ed. Paris: Presses universitaires de France 1958.

DICKENS, Charles: The Personal History of David Copperfield. The New Illustrated Dickens. Oxford: Oxford University Press 1952.

FILM, RUNDFUNK, FERNSEHEN. Hg. von Lotte H. Eisner und Heinz Friedrich. (Das Fischer Lexikon.) Frankfurt a. M.: S. Fischer Verlag 1958, S. 67–72. (Filmmontage.)

HAMSUN, Knut: Benoni. Roman. Aus d. Norweg. v. Gertrud Ingeborg Klett. München: A. Langen 1909; u. ö.

HOLITSCHER, Arthur: Reise durch den Staat Neuyork. Die neue Rundschau 22, 1911, S. 1570–1590.

– Reise durch Kanada. Ebda 23, 1912, S. 346–367, S. 518–548 und S. 640–668.

– Chikago. Ebda 23, 1912, S. 1098–1122.

– Amerika heute und morgen. Reiseerlebnisse. Dritte Auflage. Berlin: S. Fischer Verlag 1912.

DAS KINOBUCH. Kinodramen von Berman, Hasenclever, Langer, Lasker-Schüler, Keller, Asenijeff, Brod, Pinthus, Jolowicz, Ehrenstein, Pick, Rubiner, Zech, Höllriegel, Lautensack. Einleitung von Kurt Pinthus u. ein Brief von Franz Blei. Leipzig: Kurt Wolff Verlag 1913/1914. – Dokumentarische Neu-Ausgabe, hg. u. eingel. v. Kurt Pinthus. Zürich: Verlag Die Arche 1963.

MONUMENTA JUDAICA. 2000 Jahre Geschichte und Kultur der Juden am Rhein. Handbuch. Im Auftrage der Stadt Köln hg. v. Konrad Schilling. 3., verbess. Aufl. Köln: Melzer 1964. (bes. S. 730–731.)

MUSIL, Robert: Ansätze zu neuer Ästhetik. Bemerkungen über eine Dramaturgie des Films. Tagebücher, Aphorismen, Essays u. Reden. Hrsg. v. Adolf Frisé. Hamburg: Rowohlt 1955, S. 667–683.

Date Due

DE 15 '78			

Demco 38-297